D1242429

Windows 7

Visuel

WILEY

Wiley Publishing, Inc.

FIRST
> Interactive

Windows 7 Poche Visuel

Publié par
Wiley Publishing, Inc.
10475 Crosspoint Boulevard
Indianapolis, IN 46256, États-Unis
www.wiley.com

Copyright © 2009 par Wiley Publishing, Inc., Indianapolis, Indiana, États-Unis

Titre de l'édition originale : *Teach Yourself VISUALLY Windows 7*

Édition française publiée en accord avec Wiley Publishing, Inc. par :

© Éditions First, 2009
60, rue Mazarine
75006 Paris – France
Tél. 01 45 49 60 00
Fax 01 45 49 60 01
E-mail : firstinfo@efirst.com
Web : www.editionsfirst.fr

ISBN : 978-2-7540-1460-1
Dépôt légal : 4ᵉ trimestre 2009
Imprimé en France
Auteur : Paul Mc Fedries
Traduction : Bénédicte Volto
Mise en page : Catherine Kédémos

TABLE DES MATIÈRES

PROFITEZ DES CONTENUS MULTIMÉDIAS

MANIPULEZ LES FICHIERS

TABLE DES MATIÈRES

7
PARTAGEZ VOTRE ORDINATEUR

8
CONNECTEZ-VOUS À INTERNET

11
SÉCURISEZ WINDOWS 7

12
ENTRETENEZ WINDOWS 7

DÉMARREZ WINDOWS 7

❶ Allumez votre ordinateur.

⬤ L'écran de bienvenue de Windows 7 apparaît.

Note. *Si vous n'avez créé qu'un seul compte d'utilisateur sans mot de passe, l'écran de bienvenue n'apparaît pas. Vous accédez directement au Bureau.*

❷ Cliquez l'icône correspondant à votre compte d'utilisateur.

Windows 7 vous invite à taper votre mot de passe.

Note. *Si vous êtes le seul utilisateur de l'ordinateur, Windows 7 vous demande directement votre mot de passe. Dans ce cas, passez l'étape 2.*

Windows 7 démarre automatiquement avec votre ordinateur. Selon la configuration de Windows, l'écran de bienvenue peut apparaître.

Au premier démarrage de votre ordinateur, vous devrez peut-être effectuer quelques étapes de configuration.

③ Tapez votre mot de passe.

Note. *Lors de la saisie, des points remplacent les caractères du mot de passe pour en préserver la confidentialité.*

④ Cliquez la flèche 🔵 ou appuyez sur ⌨Entrée⌨.

Le Bureau de Windows 7 s'affiche.

Le système d'exploitation Windows 7 inclut de nombreux outils, programmes et ressources. Voici un tour d'horizon des possibilités qu'ils vous offrent.

TRAVAILLEZ PLUS EFFICACEMENT

Grâce à Windows 7, exécutez des programmes qui rendent votre travail plus efficace. Rédigez vos lettres et vos notes de service avec un traitement de texte, effectuez des calculs à l'aide d'un tableur et stockez des informations dans une base de données. Windows 7 intègre certains de ces programmes, comme WordPad (chapitre 3). D'autres s'achètent et s'installent séparément.

ÉCOUTEZ DE LA MUSIQUE ET REGARDEZ DES VIDÉOS

Windows 7 satisfait aussi bien vos oreilles que vos yeux. Vous pouvez écouter des CD audio et de la musique numérique, regarder des clips vidéo et des films sur DVD, écouter la radio sur Internet ou encore graver des fichiers audio sur CD. Reportez-vous à cet effet au chapitre 5.

CRÉEZ ET RETOUCHEZ DES IMAGES

Windows 7 dispose de nombreuses fonctions de traitement d'images. Vous pouvez créer entièrement les images, les importer d'un scanneur ou d'un appareil photo numérique, les télécharger *via* Internet. Les images acquises ou créées peuvent être modifiées, imprimées ou envoyées par courrier électronique. Consultez le chapitre 4 pour plus d'informations.

ACCÉDEZ À INTERNET

Créez facilement votre connexion Internet (chapitre 8). Profitez-en ensuite pleinement grâce aux différents outils intégrés à Windows 7. Naviguez sur le Web avec Internet Explorer (chapitre 9), échangez du courrier électronique avec Windows Live Mail (chapitre 10).

ICÔNE DE BUREAU

Chaque icône placée sur le Bureau représente un programme ou une fonction de Windows 7. Lors de l'installation d'un nouveau programme, son icône apparaît généralement sur le Bureau.

POINTEUR

Cette flèche suit les mouvements de la souris.

BUREAU

Il s'agit de l'espace de travail de Windows 7, c'est-à-dire là où vous utilisez vos programmes et vos documents.

HEURE ET DATE

Il s'agit de l'heure et de la date en cours. Pour afficher la date complète, placez le pointeur ⩡ sur l'heure. Pour ajuster la date ou l'heure, cliquez l'heure.

ZONE DE NOTIFICATION

Cette zone présente de petites icônes qui vous informent des événements en cours sur votre ordinateur. Par exemple, une notification apparaît si le bac à papier de l'imprimante est vide ou si une nouvelle mise à jour de Windows 7 est disponible.

BARRE DES TÂCHES

Les programmes ouverts apparaissent dans la barre des tâches. Cette zone permet de passer d'un programme à un autre, si vous en avez ouvert plusieurs simultanément.

ICÔNES DE LA BARRE DES TÂCHES

Ces icônes permettent de démarrer des fonctions de Windows 7 à l'aide d'un simple clic de souris.

BOUTON DÉMARRER

Servez-vous de ce bouton pour démarrer des programmes et accéder aux nombreuses fonctionnalités de Windows 7.

Avant de vous lancer dans l'utilisation de Windows 7, découvrez les éléments de base de son écran.

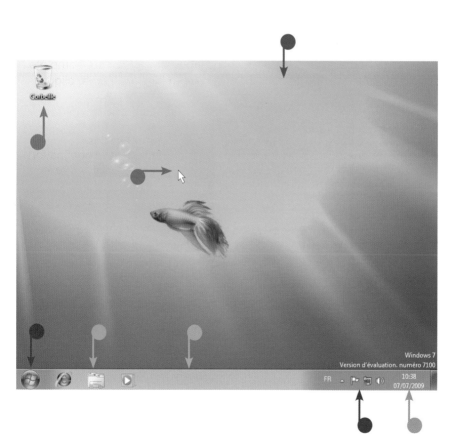

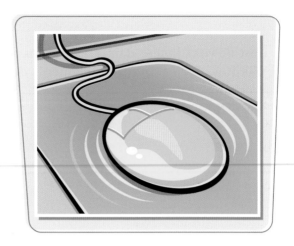

UTILISEZ LA SOURIS AVEC WINDOWS 7

CLIQUEZ

❶ Placez le pointeur ⌂ sur l'objet à manipuler.

❷ Appuyez sur le bouton gauche de la souris.

● Selon l'objet, Windows 7 le sélectionne ou exécute une opération (comme afficher le menu Démarrer).

Conçu pour être « piloté » à la souris, Windows 7 nécessite que vous maîtrisiez le maniement de cette dernière.

Si vous n'avez jamais utilisé de souris, effectuez des déplacements lents et mesurés. Exercez-vous tant que nécessaire.

DOUBLE-CLIQUEZ

❶ Placez le pointeur ⤷ sur l'objet à manipuler.

❷ Appuyez rapidement deux fois de suite sur le bouton gauche de la souris.

● Windows 7 effectue généralement une opération (comme afficher la fenêtre de la Corbeille).

UTILISEZ LA SOURIS AVEC WINDOWS 7 (SUITE)

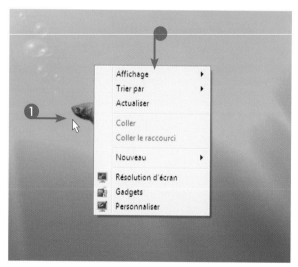

CLIQUEZ DU BOUTON DROIT

① Placez le pointeur ⌖ sur l'objet à manipuler.

② Appuyez sur le bouton droit de la souris.

● Windows 7 affiche un menu contextuel.

Note. *Le contenu du menu contextuel varie selon l'objet cliqué.*

Si Windows 7 ne réagit pas au double-clic, essayez de double-cliquer plus rapidement et ne déplacez pas la souris entre les clics. Si le problème persiste, cliquez Démarrer ➜ Panneau de configuration ➜ Matériel et audio ➜ Souris pour ouvrir la boîte de dialogue Propriétés de Souris. Dans l'onglet Boutons, déplacez le curseur Vitesse du double-clic vers la gauche (vers Lente).

Pour adapter votre souris à un gaucher, dans le même onglet, cochez la case Permuter les boutons principal et secondaire.

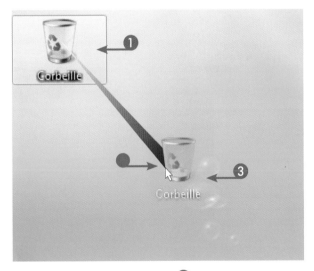

FAITES GLISSER LA SÉLECTION

① Placez le pointeur ⬚ sur l'objet à manipuler.

② Cliquez et maintenez enfoncé le bouton gauche de la souris.

③ Déplacez la souris pour faire glisser l'objet sélectionné.

● En règle générale, l'objet suit le mouvement du pointeur ⬚.

④ Relâchez le bouton de la souris lorsque l'objet est repositionné.

TROUVEZ DE L'AIDE

1 Cliquez **Démarrer**.

Le menu Démarrer apparaît.

2 Cliquez **Aide et support**.

La fenêtre Aide et support Windows s'affiche.

3 Cliquez le bouton **Accéder à l'aide** (🖼️).

Note. La version de Windows 7 utilisée pour la réalisation de ce livre étant non définitive, certaines fonctions n'y sont pas encore traduites, comme les rubriques de l'aide.

Apprenez-en plus sur Windows 7, la réalisation des tâches ou la résolution des problèmes grâce au système d'aide.

Les articles qui constituent l'aide sont organisés en rubriques, telles que *Sécurité et confidentialité.* Les rubriques peuvent se diviser en catégories. Elles comprennent toutes une liste de sujets relatifs.

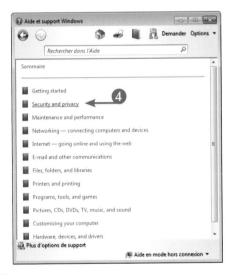

Le sommaire s'affiche.

④ Cliquez une catégorie.

TROUVEZ DE L'AIDE (SUITE)

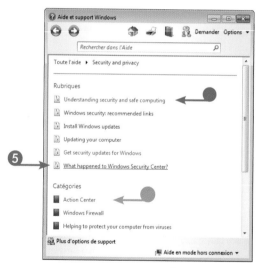

● Une liste de rubriques d'aide apparaît concernant la catégorie sélectionnée.

● Une liste de sous-catégories apparaît concernant la catégorie sélectionnée.

❺ Cliquez une rubrique.

Note. *Si l'article à consulter appartient à une sous-catégorie, cliquez cette dernière pour afficher la liste des articles qu'elle contient, puis l'article concerné.*

Quasiment tous les programmes Windows disposent d'un système d'aide. Il existe trois manières d'y accéder : cliquez Aide ou ? dans la barre des menus, appuyez sur la touche F1 ou cliquez le bouton Afficher l'aide (?).

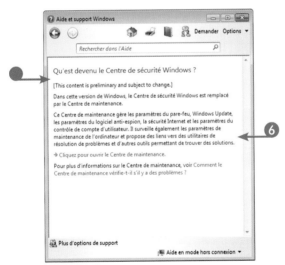

● L'élément que vous avez sélectionné s'affiche dans la fenêtre.

⑥ Lisez l'article.

Note. Pour revenir en arrière à un écran précédent, cliquez le bouton *Précédent* (◉) autant de fois que nécessaire.

ARRÊTEZ WINDOWS 7

❶ Quittez tous les programmes en cours d'exécution.

Note. *Enregistrez votre travail en quittant les programmes.*

❷ Cliquez **Démarrer**.

Le menu Démarrer apparaît.

❸ Cliquez **Arrêter**.

Windows 7 s'arrête et éteint votre ordinateur.

● Si, lors de votre prochaine utilisation de Windows 7, vous souhaitez retrouver tels quels les programmes et les documents ouverts, cliquez la flèche ▶ en regard du bouton Arrêter, puis cliquez **Mettre en veille**.

Votre travail de la journée terminé, arrêtez Windows 7. Il ne suffit pas, cependant, d'appuyer sur le bouton de mise hors tension de votre ordinateur. Les étapes ci-après décrivent la bonne marche à suivre afin de ne pas endommager votre système.

Éteindre l'ordinateur sans arrêter correctement Windows 7 peut causer deux problèmes. Tout d'abord, si vous n'avez pas enregistré vos modifications de vos documents ouverts, vous risquez de les perdre. En outre, vous pouvez endommager certains fichiers de Windows 7 et rendre le système instable.

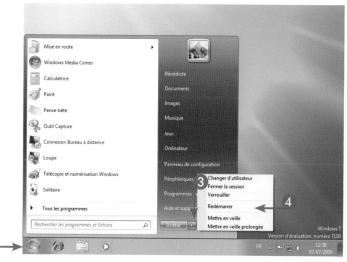

REDÉMARREZ WINDOWS 7

① Quittez tous les programmes en cours d'exécution.

Note. *Enregistrez votre travail en quittant les programmes.*

② Cliquez **Démarrer**.

Le menu Démarrer apparaît.

③ Cliquez la flèche en regard du bouton Arrêter.

④ Cliquez **Redémarrer**.

INSTALLEZ UN PROGRAMME

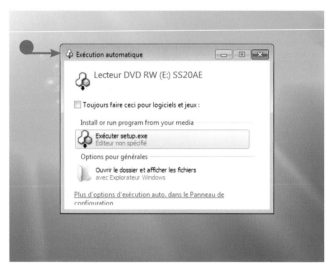

DEPUIS UN CD OU UN DVD

① Insérez le CD ou le DVD d'installation du programme dans le lecteur approprié.

● La boîte de dialogue Exécution automatique s'affiche.

Si Windows 7 n'inclut pas un programme dont vous avez besoin, vous pouvez l'acquérir séparément et l'installer vous-même sur votre ordinateur.

La procédure d'installation varie selon le support d'origine du programme : CD, DVD, disquette ou Internet.

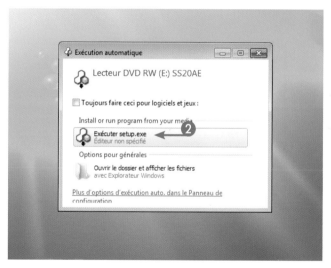

② Cliquez **Exécuter** *fichier*, où *fichier* correspond au nom du programme d'installation (setup. exe habituellement).

③ Suivez les instructions fournies par le programme d'installation.

Note. La procédure varie d'un programme à un autre.

● INSTALLEZ UN PROGRAMME (SUITE)

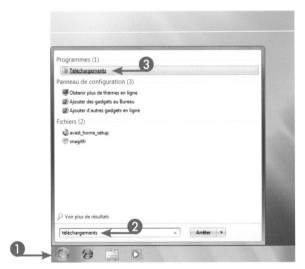

DEPUIS UN FICHIER TÉLÉCHARGÉ
SUR INTERNET

① Cliquez **Démarrer**.

② Tapez **téléchargements**.

③ Cliquez **Téléchargements**.

Note. Si vous avez enregistré
le fichier dans un autre dossier,
utilisez l'Explorateur Windows pour
le localiser. Reportez-vous à cet
effet à la section « Affichez vos
fichiers » au chapitre 6.

L a majorité des programmes ne peuvent s'installer que si vous fournissez la clé du produit ou le numéro de série. Cette information est inscrite généralement sur l'emballage du logiciel (étiquette collée sur la pochette du CD ou à l'arrière de la boîte). Vérifiez également la carte d'enregistrement et le CD (ou DVD) lui-même. Si vous avez téléchargé le programme *via* Internet, le numéro s'affiche sur la page de téléchargement et dans le message de confirmation envoyé par courrier électronique.

Le dossier Téléchargements apparaît.

④ Double-cliquez le fichier.

Le programme d'installation démarre.

Note. *Si le fichier est un dossier compressé, vous devez tout d'abord en extraire le contenu, puis double-cliquer le fichier d'installation.*

⑤ Suivez les instructions fournies par le programme d'installation.

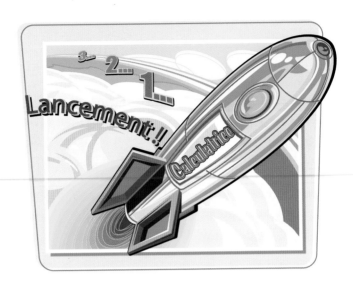

DÉMARREZ UN PROGRAMME

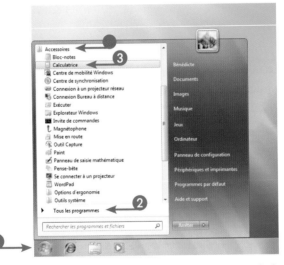

① Cliquez **Démarrer**.

● Si le programme que vous voulez utiliser possède un bouton dans la barre des tâches, cliquez-le pour le démarrer.

② Cliquez **Tous les programmes**.

Note. Le nom du bouton devient Précédent.

③ Cliquez l'icône du programme à démarrer.

● Si le programme se trouve dans un sous-menu, cliquez ce dernier puis le nom du programme.

Vous devez indiquer à Windows 7 le programme que vous souhaitez exécuter pour l'utiliser. Windows 7 démarre alors le programme et l'ouvre sur le Bureau.

Le programme s'ouvre sur le Bureau.

● Le bouton associé au programme apparaît dans la barre des tâches.

Note. *Le programme peut s'afficher dans le menu Démarrer lorsque vous l'avez utilisé un certain nombre de fois. Dans ce cas, cliquez-le directement dans ce menu.*

ICÔNE DU MENU SYSTÈME

Cette icône ouvre un menu de commandes permettant de manipuler les fenêtres à l'aide du clavier. Vous pouvez aussi appuyer sur **Alt** + **Espace**.

BARRE DE TITRE

Le nom du programme s'affiche dans la barre de titre, ainsi que le nom du document ouvert dans certains programmes. La barre de titre permet aussi de déplacer la fenêtre.

BARRE DE MENUS

La barre de menus contient les menus déroulants donnant accès aux différentes commandes du programme. Dans certains programmes, vous devez appuyer sur la touche **Alt** pour l'afficher.

BARRE D'OUTILS

Les boutons des barres d'outils donnent un accès rapide aux commandes et aux fonctions courantes du programme. Certains exécutent des commandes, d'autres ouvrent une liste d'options.

BOUTON RÉDUIRE

Cliquez ▬ pour masquer la fenêtre et la réduire à un bouton dans la barre des tâches. Cela ne ferme pas le programme.

BOUTON AGRANDIR

Cliquez ▣ pour agrandir la fenêtre à sa taille maximale. Elle occupe alors toute la surface du Bureau.

BOUTON FERMER

Cliquez ✖ pour fermer le programme.

Les divers éléments de la fenêtre d'un programme
représentent ses différentes fonctions.

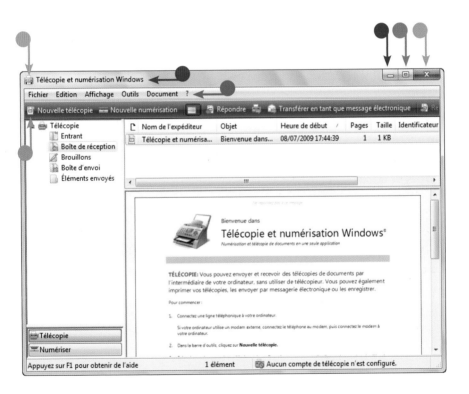

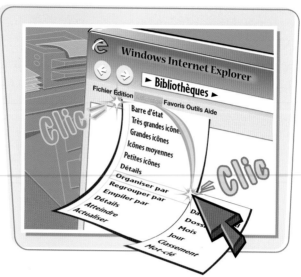

UTILISEZ LES MENUS

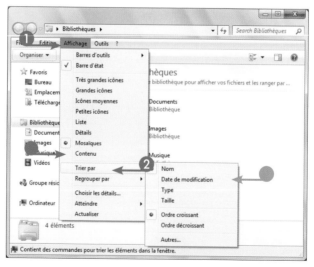

EXÉCUTEZ UNE COMMANDE

1 Cliquez le nom du menu à afficher.

● Le menu s'affiche.

Vous pouvez aussi dérouler le menu en appuyant sur **Alt**, puis sur la lettre soulignée dans le nom du menu.

2 Cliquez la commande à exécuter.

Le programme exécute la commande.

● Si la commande se trouve dans un sous-menu, pointez ce dernier puis cliquez-la.

L es menus déroulants donnent accès aux différentes commandes et fonctions d'un programme.

Certains éléments des menus exécutent une commande, c'est-à-dire une action dans le programme. D'autres activent ou désactivent une option. Si la barre de menus n'apparaît pas, appuyez sur Alt.

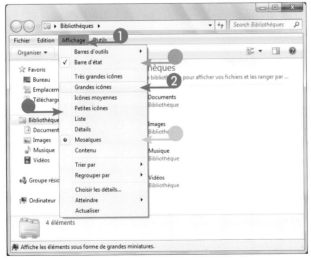

ACTIVEZ OU DÉSACTIVEZ UNE OPTION

1 Cliquez le menu à afficher.

● Le menu s'affiche.

2 Cliquez l'élément du menu.

Si nécessaire, pointez le sous-menu contenant l'option.

● Une commande à bascule est activée lorsqu'elle est cochée (✓). Cliquez-la à nouveau pour la désactiver (la coche disparaît).

● Une commande appartenant à un groupe d'options est activée lorsqu'elle est précédée d'une puce (●). Cela désactive les autres options du groupe.

UTILISEZ LES BARRES D'OUTILS

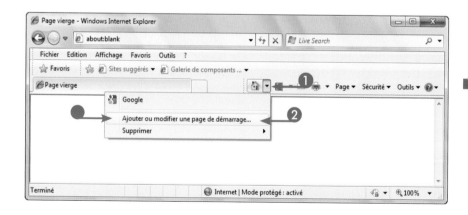

EXÉCUTEZ UNE COMMANDE

① Cliquez le bouton représentant la commande ou la liste souhaitée.

Note. *Si le bouton reste enfoncé, la fonction correspondante est activée. Pour la désactiver, cliquez à nouveau le bouton.*

● Le programme exécute la commande ou déroule une liste.

② Si une liste apparaît, cliquez l'élément représentant la commande.

La commande s'exécute.

es barres d'outils donnent un accès plus rapide aux
fonctions d'un programme. Il suffit de cliquer un
bouton pour exécuter la commande qu'il représente.
La plupart des programmes disposent d'au moins
une barre d'outils.

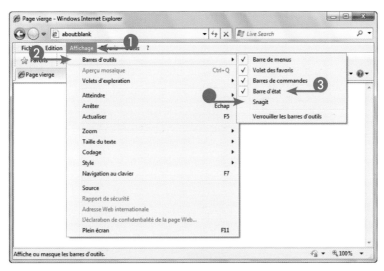

**AFFICHEZ ET MASQUEZ
UNE BARRE D'OUTILS**

① Cliquez **Affichage**.

② Cliquez **Barres d'outils**.

③ Cliquez le nom d'une barre.

● Si la barre d'outils est
actuellement affichée (avec une
coche ☑), le programme la masque.

Si la barre d'outils est actuellement
masquée, le programme l'affiche
(avec une coche ☑ dans le menu
Affichage).

Note. Si le programme ne possède
qu'une seule barre d'outils, cliquez
Affichage, puis **Barre d'outils**
pour l'afficher ou la masquer.

BOUTON D'OPTION

Activez une option en cliquant le bouton associé (◯ devient ◉).
Un seul bouton peut être activé au sein d'un groupe.

CASE À COCHER

Activez une option en cliquant la case à cocher associée
(☐ devient ☑). Cliquez à nouveau la case à cocher
pour désactiver l'option (☑ devient ☐).

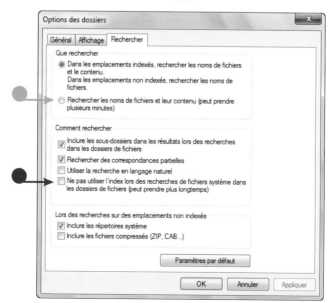

L es programmes affichent une boîte de dialogue
lorsqu'ils requièrent des informations de votre part.
Vous les fournissez grâce aux différents éléments de
la boîte de dialogue.

BOUTON DE COMMANDE

Exécutez une commande en cliquant le bouton qui porte son nom.
Par exemple, cliquez **OK** pour appliquer les paramètres sélectionnés
dans une boîte de dialogue et fermer cette dernière. Cliquez
Appliquer pour appliquer les paramètres sans fermer la boîte de
dialogue ou **Annuler** pour fermer la boîte de dialogue sans appliquer
les réglages.

ONGLET

Les différents onglets
regroupent des options
apparentées. Cliquez un
onglet pour afficher les
options correspondantes.

BOUTON TOUPIE

Le bouton toupie (⊟)
permet de définir
une valeur numérique.

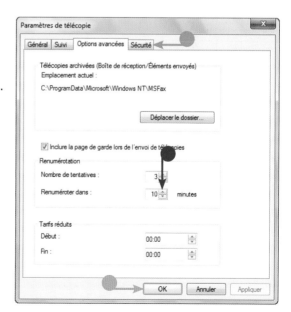

ZONE DE LISTE

Une zone de liste contient un certain nombre d'options parmi lesquelles vous choisissez l'élément en le cliquant. Si vous ne voyez pas l'élément que vous souhaitez, servez-vous de la barre de défilement pour le visualiser (voir *Utilisez les barres de défilement*, plus loin dans ce chapitre).

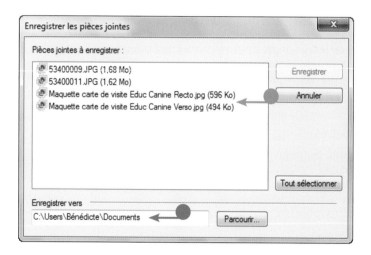

ZONE DE TEXTE

Une zone de texte accueille le texte que vous saisissez.

ZONE COMBINÉE

Une zone combinée associe une zone de texte et une zone de liste. Pour y sélectionner une option, cliquez-la dans la zone de liste ou tapez directement son nom dans la zone de texte.

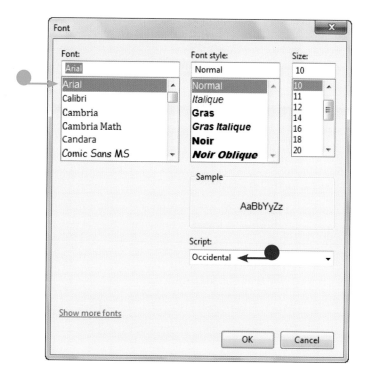

LISTE DÉROULANTE

Une liste déroulante n'affiche que l'option sélectionnée. Pour sélectionner un autre élément, ouvrez la liste.

● UTILISEZ LES BOÎTES DE DIALOGUE

ZONE DE TEXTE

❶ Cliquez à l'intérieur de la zone de texte.

● Une barre verticale clignotante (appelée *curseur* ou *point d'insertion*) apparaît à l'intérieur de la zone de texte.

❷ Appuyez sur les touches **Retour arrière** ou **Suppr** pour supprimer des caractères.

❸ Saisissez votre texte.

Les boîtes de dialogue servent à contrôler le fonctionnement d'un programme. Comme elles apparaissent très souvent, il est indispensable de savoir les manipuler.

Par exemple, pour imprimer un document, faites appel à la boîte de dialogue Imprimer où vous spécifiez le nombre de copies à imprimer, entre autres.

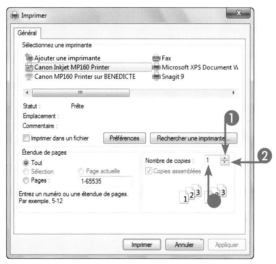

SAISISSEZ UNE VALEUR
AVEC UN BOUTON TOUPIE

① Cliquez la flèche vers le haut du bouton toupie (⬆) pour augmenter la valeur.

② Cliquez la flèche vers le bas du bouton toupie (⬇) pour diminuer la valeur.

● Vous pouvez aussi saisir la valeur dans la zone de texte.

UTILISEZ LES BOÎTES DE DIALOGUE

I existe des raccourcis clavier qui facilitent l'utilisation des boîtes de dialogue. Voici les plus utiles :

UTILISEZ LES BOÎTES DE DIALOGUE (SUITE)

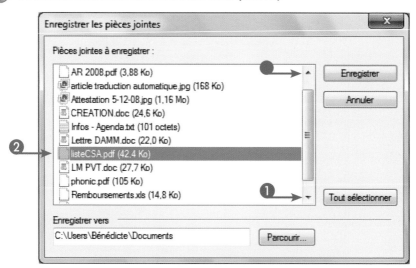

SÉLECTIONNEZ UN ÉLÉMENT DE ZONE DE LISTE

① Si nécessaire, cliquez la flèche vers le bas (▼) pour parcourir la liste et visualiser un élément.

Note. Lisez à cet effet la section « Utilisez les barres de défilement ».

② Cliquez l'élément.

● Cliquez la flèche vers le haut (▲) pour remonter dans la liste.

Entrée	Actionne le bouton de commande sélectionné par défaut, généralement encadré d'un trait coloré.
Echap	Ferme la boîte de dialogue. Revient à cliquer le bouton Annuler.
Alt + *lettre*	Sélectionne l'élément dont le nom contient la lettre indiquée soulignée.
Tab	Sélectionne l'élément suivant.
Maj + **Tab**	Sélectionne l'élément précédent.
Haut *et* **Bas**	Sélectionne l'option précédente ou suivante dans un groupe d'options.
Alt + **Bas**	Développe la zone combinée ou la liste déroulante sélectionnée.

SÉLECTIONNEZ UN ÉLÉMENT AVEC UNE ZONE COMBINÉE

● Cliquez l'élément de la zone de liste pour le sélectionner.

● Vous pouvez aussi saisir le nom de l'élément dans la zone de texte.

SÉLECTIONNEZ UN ÉLÉMENT DANS UNE ZONE DE LISTE DÉROULANTE

① Cliquez la flèche déroulante (▼).

● La liste apparaît.

② Cliquez l'élément de la liste à sélectionner.

37

RÉDUISEZ UNE FENÊTRE

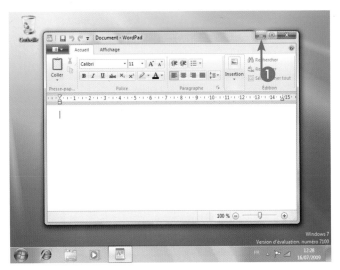

1 Cliquez 🔲.

Apprenez à manipuler les fenêtres des programmes pour garder un Bureau net et bien organisé. Vous pouvez par exemple réduire une fenêtre pour qu'elle n'encombre pas le Bureau.

● La fenêtre disparaît de l'écran mais son bouton reste visible dans la barre des tâches.

Note. Pour afficher le Bureau sans réduire toutes les fenêtres, placez la souris 👆 sur la barre **Afficher le Bureau** à l'extrémité droite de la barre des tâches.

Note. Pour réduire toutes les fenêtres ouvertes, cliquez la barre **Afficher le Bureau** ou cliquez la barre des tâches avec le bouton droit, puis cliquez **Afficher le Bureau**.

39

AGRANDISSEZ UNE FENÊTRE

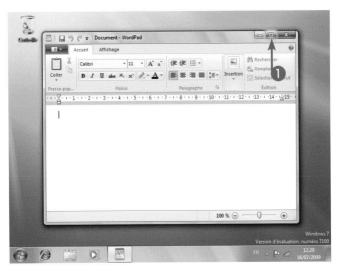

① Cliquez 🔳.

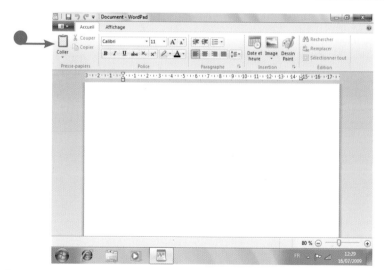

Pour agrandir une fenêtre réduite dans la barre des tâches, cliquez du bouton droit le bouton représentant la fenêtre dans la barre des tâches. Cliquez ensuite Agrandir.

● La fenêtre s'agrandit au maximum et occupe toute la surface du Bureau.

Note. *Vous pouvez aussi agrandir une fenêtre en double-cliquant sa barre de titre ou en faisant glisser cette dernière vers le haut de l'écran et en relâchant le bouton de la souris.*

RESTAUREZ UNE FENÊTRE

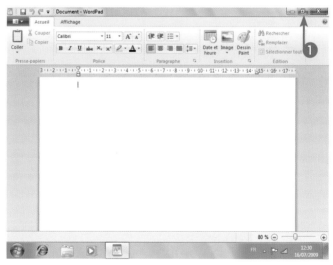

① Si la fenêtre est agrandie, cliquez 🗗.

Si la fenêtre est réduite, cliquez son bouton dans la barre des tâches.

Des techniques supplémentaires liées à la manipulation des fenêtres peuvent faciliter votre travail dans Windows 7 et accroître votre efficacité. Apprenez ainsi à restaurer une fenêtre agrandie ou réduite, c'est-à-dire lui redonner ses dimensions et sa position d'origine.

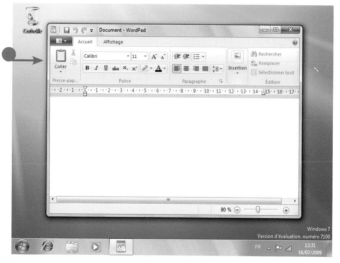

● La fenêtre retrouve ses dimensions et sa position d'origine.

FERMEZ UNE FENÊTRE

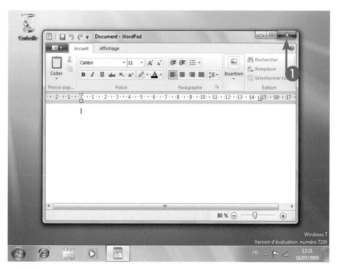

1 Cliquez .

La fenêtre disparaît de l'écran.

Le menu Système permet de manipuler une fenêtre avec le clavier. Appuyez sur **Alt** + **Espace** ou cliquez l'icône du menu Système dans l'angle supérieur gauche de la fenêtre pour afficher le menu, appuyez sur **Haut** et **Bas** pour sélectionner la commande voulue, puis appuyez sur **Entrée**. Si vous sélectionnez Déplacer ou Taille, utilisez les touches **Haut**, **Bas**, **Gauche** et **Droite** pour déplacer ou redimensionner la fenêtre. Appuyez ensuite sur **Entrée**.

⬤ Si la fenêtre est associée à un bouton dans la barre des tâches, ce dernier disparaît aussi.

Note. *Si la fenêtre contient un document, le programme vous invite à enregistrer les modifications avant de le fermer.*

REDIMENSIONNEZ UNE FENÊTRE

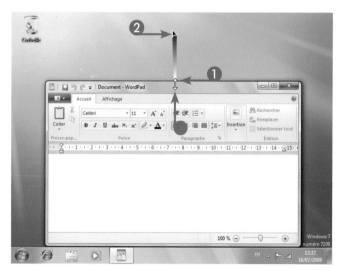

1 Pointez l'un des bords de la fenêtre.

● Le pointeur ⌖ devient une flèche double (⟺ ou ↕).

Note. *Si le pointeur ne change pas, la fenêtre ne peut pas être redimensionnée.*

2 Cliquez et faites glisser le pointeur ↕ ou ⟺ pour modifier la taille de la fenêtre.

Le bord de la fenêtre suit le déplacement du pointeur.

S'il devient difficile de lire le contenu des fenêtres parce qu'elles se chevauchent, vous pouvez les déplacer ou les redimensionner.

3 Relâchez le bouton de la souris.

● La fenêtre est redimensionnée.

Note. Pour modifier simultanément la largeur et la hauteur, faites glisser un angle de la fenêtre.

Note. Pour redimensionner plusieurs fenêtres simultanément, cliquez du bouton droit une zone vide de la barre des tâches, puis **Afficher les fenêtres côte à côte**. *Windows 7 change la taille des fenêtres et les dispose les unes à côté des autres.*

DÉPLACEZ UNE FENÊTRE

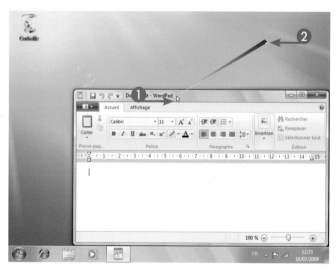

① Pointez une zone vide de la barre de titre de la fenêtre.

② Cliquez et faites glisser le pointeur ᵏ vers la nouvelle position de la fenêtre.

La fenêtre suit le déplacement du pointeur ᵏ.

Pour mettre en ordre rapidement toutes les fenêtres ouvertes sur le Bureau, cliquez du bouton droit une zone vide de la barre des tâches, puis cliquez Cascade. Windows 7 ordonne les fenêtres ouvertes en les disposant en diagonale.

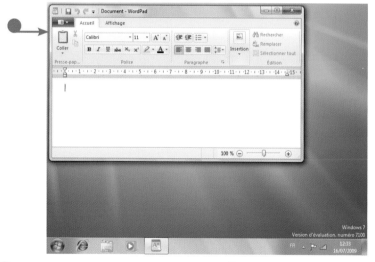

3 Relâchez le bouton de la souris.

● La fenêtre est déplacée.

49

UTILISEZ LES BARRES DE DÉFILEMENT

1 Pour monter ou descendre dans la fenêtre, cliquez respectivement ⏶ ou ⏷, faites glisser le curseur de défilement vertical ou utilisez la molette de votre souris.

● Le contenu de la fenêtre défile verticalement.

Si la fenêtre du programme ne peut afficher tout le contenu d'un document, révélez la partie masquée en utilisant les barres de défilement.

Les instructions ci-après peuvent aussi servir dans les boîtes de dialogue. En effet, ces dernières peuvent présenter des barres de défilement dans les zones de liste.

2 Cliquez respectivement ▶ ou ◀ pour aller vers la gauche ou vers la droite dans la fenêtre, ou faites glisser le curseur de défilement horizontal.

● Le contenu de la fenêtre défile latéralement.

BASCULEZ D'UN PROGRAMME À UN AUTRE

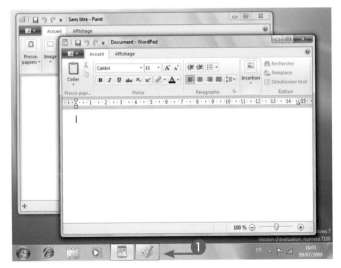

AVEC LA BARRE DES TÂCHES

① Dans la barre des tâches, cliquez le bouton du programme auquel vous souhaitez accéder.

Note. Cette technique fonctionne même si la fenêtre du programme n'est pas réduite.

Système multitâche, Windows 7 peut faire fonctionner simultanément plusieurs programmes. Pour exploiter pleinement cette capacité, vous devez savoir comment basculer d'un programme à un autre.

Vous pouvez vous servir de la souris ou du clavier.

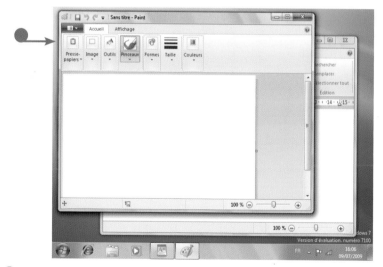

● La fenêtre du programme apparaît au premier plan.

Note. Si la fenêtre du programme à atteindre est partiellement visible, vous pouvez aussi la cliquer pour l'amener au premier plan.

BASCULEZ D'UN PROGRAMME À UN AUTRE (SUITE)

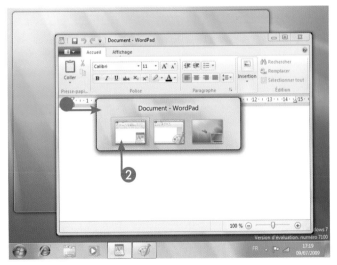

AVEC LE CLAVIER

① Maintenez enfoncée la touche **Alt** et appuyez sur **Tab**.

● Une boîte de dialogue apparaît avec des icônes représentant les programmes ouverts et le Bureau.

② La touche **Alt** toujours enfoncée, appuyez sur **Tab** autant de fois que nécessaire pour sélectionner le programme voulu.

③ Relâchez la touche **Alt**.

Pour obtenir un aperçu des fenêtres ouvertes avant de les activer, vous avez trois possibilités. Tout d'abord, pointez le bouton d'un programme dans la barre des tâches. Une version miniature de la fenêtre s'affiche. Ensuite, maintenez enfoncée la touche **Alt** et appuyez plusieurs fois sur **Echap**. À chaque fois, Windows 7 amène une fenêtre différente au premier plan. Lorsque la fenêtre voulue apparaît, relâchez **Alt**.

Enfin, sur certains systèmes, vous pouvez maintenir enfoncée la touche **⊞** et appuyer plusieurs fois sur la touche **Tab**. Les fenêtres ouvertes apparaissent dans une pile en 3D. À chaque pression sur **Tab**, Windows 7 amène une fenêtre différente au premier plan. Lorsque la fenêtre voulue apparaît, relâchez **⊞** .

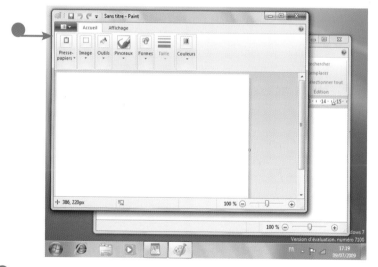

● La fenêtre du programme apparaît au premier plan.

● DÉSINSTALLEZ UN PROGRAMME

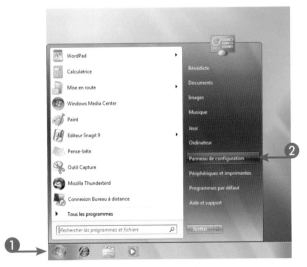

❶ Cliquez **Démarrer**.

❷ Cliquez **Panneau de configuration**.

Lorsque vous comptez ne plus employer un programme, désinstallez-le de votre ordinateur.

Cela libère de l'espace sur le disque dur et désencombre le menu Tous les programmes, le rendant ainsi plus pratique et plus clair.

Le Panneau de configuration s'affiche.

③ Cliquez **Désinstaller un programme**.

DÉSINSTALLEZ UN PROGRAMME

DÉSINSTALLEZ UN PROGRAMME (SUITE)

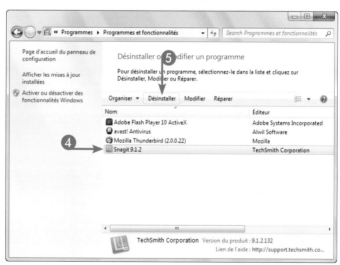

La fenêtre Programmes et fonctionnalités s'affiche.

④ Cliquez le programme à désinstaller.

⑤ Cliquez **Désinstaller** (ou **Désinstaller/Modifier**).

De nombreux programmes disposent de leur propre commande de désinstallation. Cliquez Démarrer, Tous les programmes, puis cliquez le nom du programme. S'il contient une commande de désinstallation, cliquez-la.

Une désinstallation « automatique » diffère d'une désinstallation « personnalisée ». Certains programmes vous offrent les deux possibilités. La désinstallation automatique se déroule sans intervention de votre part. Cette option est la plus simple et la plus prudente. La désinstallation personnalisée offre un contrôle plus précis, mais elle est également plus complexe et s'adresse avant tout aux utilisateurs expérimentés.

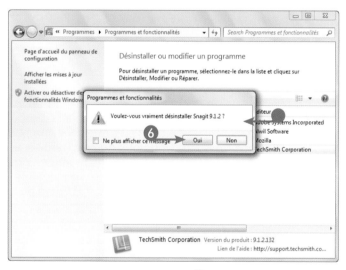

● Une boîte de dialogue apparaît pour vous demander de confirmer la désinstallation.

❻ Cliquez **Oui**.

La désinstallation commence.

❼ Suivez les instructions qui s'affichent à l'écran. Elles varient d'un programme à un autre.

Un document est un fichier que vous créez ou modifiez vous-même. Les quatre exemples ci-après constituent les types de documents de base que vous pouvez créer grâce aux programmes intégrés à Windows 7.

FICHIER TEXTE

Un fichier texte ne contient que les caractères qu'affiche votre clavier, ainsi que des symboles et des caractères spéciaux. Mise à part la police de caractères, vous ne pouvez appliquer aucune mise en forme particulière au texte (gras, italique, couleur, *etc*.). Dans Windows 7, le Bloc-notes sert à créer les fichiers texte. Toutefois, vous pouvez aussi utiliser WordPad.

DOCUMENT DE TRAITEMENT DE TEXTE

Comme un fichier texte, le document de traitement de texte contient des caractères et des symboles. En revanche, les caractères et les paragraphes peuvent être mis en forme pour améliorer l'apparence du document. Vous pouvez modifier la couleur, la taille et la police des caractères, les mettre en gras ou en italique. Dans Windows 7, vous créez des documents de traitement de texte au format RTF (*Rich Text Format*) avec WordPad.

DESSIN

Dans le contexte de Windows 7, un dessin est une image numérique constituée de lignes, de formes géométriques, de formes libres et d'effets spéciaux. Le programme Paint sert à créer des dessins.

MESSAGE ÉLECTRONIQUE

Un message électronique est un document que vous envoyez à un correspondant *via* Internet. La plupart de ces messages ne contiennent que du texte. Certains logiciels de messagerie électronique peuvent cependant mettre en forme le texte, insérer des images et appliquer d'autres effets. Dans Windows 7, vous devez télécharger et installer le programme Windows Live Mail pour créer et envoyer des messages (chapitre 10).

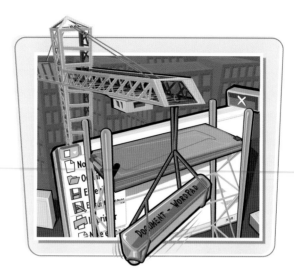

CRÉEZ UN DOCUMENT

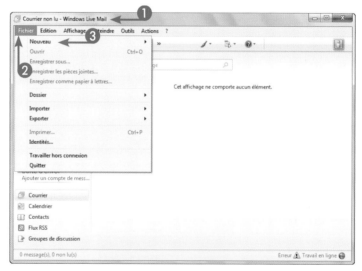

① Démarrez le programme à utiliser.

② Cliquez **Fichier**.

③ Cliquez **Nouveau**.

Lorsque vous travaillez avec des programmes, vous enregistrez généralement votre travail dans un nouveau document.

La plupart des programmes intégrés à Windows 7, comme WordPad ou Paint, s'ouvrent sur un nouveau document.

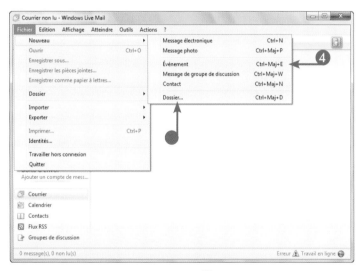

● Si le programme prend en charge plusieurs types de documents, indiquez celui à créer.

Note. Certains programmes ouvrent une boîte de dialogue contenant une liste de types de documents.

④ Cliquez le type de document à créer.

Un nouveau document apparaît.

Note. Dans certains programmes, vous pouvez aussi cliquer ☐ dans la barre d'outils ou appuyer sur `Ctrl` + `N`.

ENREGISTREZ UN DOCUMENT

ENREGISTREZ UN DOCUMENT

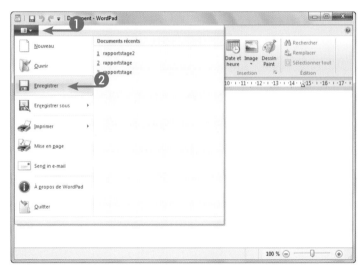

① Cliquez **Fichier** (▣).

② Cliquez **Enregistrer**.

Note. Dans la plupart des programmes, vous pouvez aussi appuyer sur `Ctrl` + `S` ou cliquer 🖫.

Note. Si vous avez déjà enregistré le document auparavant, vous n'avez pas besoin d'effectuer les étapes suivantes.

Une fois votre document créé et modifié, vous pouvez l'enregistrer pour conserver votre travail.

Au cours du travail, Windows 7 enregistre les modifications dans la mémoire de l'ordinateur. Le contenu de la mémoire n'est pas conservé lorsque vous éteignez l'ordinateur. Lorsque vous enregistrez le document, il est stocké dans le disque dur de façon permanente.

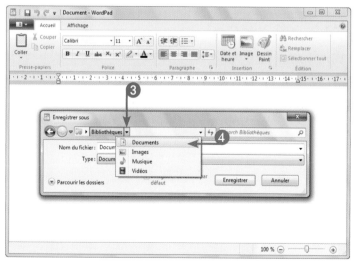

Si vous enregistrez un nouveau document pour la première fois, la boîte de dialogue Enregistrer sous apparaît.

3 Cliquez ici pour afficher la liste de vos dossiers.

4 Cliquez **Documents**.

Note. La plupart des programmes enregistrent par défaut le document dans le dossier Documents.

ENREGISTREZ UN DOCUMENT

ENREGISTREZ UN DOCUMENT (SUITE)

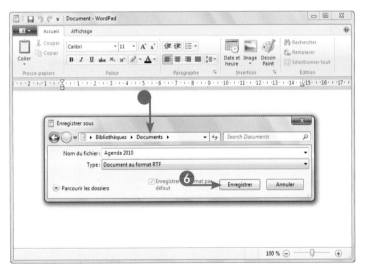

Le dossier Documents s'affiche.

5 Cliquez dans la zone de texte **Nom du fichier** et tapez le nom à attribuer au fichier.

Note. *Le nom du fichier peut contenir jusqu'à 255 caractères, à l'exception des caractères suivants : < > , ? : " \ et *.*

6 Cliquez **Enregistrer**.

a majorité des programmes prennent en charge différents types de documents. Avec WordPad, par exemple, vous pouvez créer un document de traitement de texte ou un fichier texte. Dans ce cas, la boîte de dialogue Enregistrer sous affiche une liste déroulante où vous sélectionnez le type de document à créer. Un programme comme le Bloc-notes, en revanche, ne peut créer qu'un seul type de document.

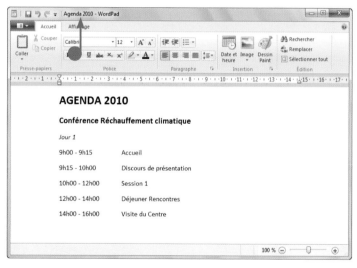

● Le nom que vous avez tapé apparaît dans la barre de titre.

OUVREZ UN DOCUMENT

OUVREZ UN DOCUMENT

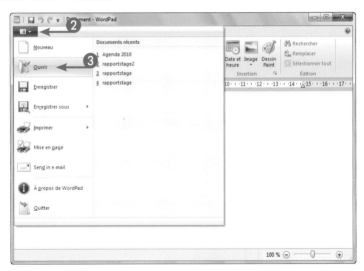

① Démarrez le programme à utiliser.

② Cliquez **Fichier** (▦).

Note. Si le nom du document à ouvrir apparaît au bas du menu Fichier, parmi les fichiers récemment ouverts, cliquez-le. Inutile alors d'exécuter les étapes suivantes.

③ Cliquez **Ouvrir**.

Note. Dans la plupart des programmes, vous pouvez aussi appuyer sur **Ctrl** + **O** ou cliquer ▦.

Pour modifier un document déjà enregistré, vous devez l'ouvrir dans le programme qui a servi à le créer.

④ Double-cliquez **Documents**.

Note. Par défaut, la plupart des programmes proposent de choisir un fichier dans le dossier Documents.

● Si le document se trouve dans un autre dossier, cliquez ici, cliquez votre compte d'utilisateur, puis double-cliquez le dossier voulu.

OUVREZ UN DOCUMENT (SUITE)

● Le dossier Documents s'affiche.

⑤ Cliquez le nom du document.

⑥ Cliquez **Ouvrir**.

Il n'est pas obligatoire de démarrer un programme pour ouvrir un document. Cliquez Démarrer ➔ Documents. Dans le dossier Documents, double-cliquez le fichier à ouvrir. Windows 7 démarre le programme qui a servi à créer le document et l'affiche.

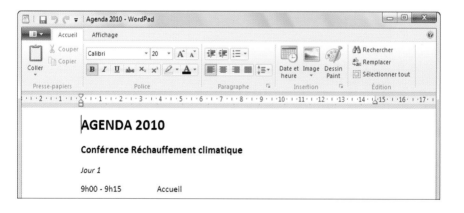

● Le document s'ouvre dans la fenêtre du programme.

DUPLIQUEZ UN DOCUMENT

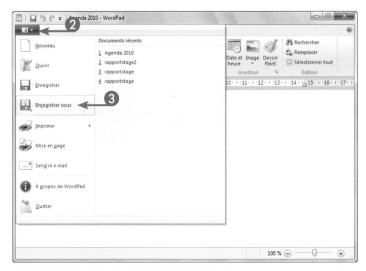

① Démarrez le programme à utiliser et ouvrez le document d'origine.

② Cliquez **Fichier** (🗐).

③ Cliquez **Enregistrer sous**.

Si vous devez créer un document quasiment identique à un autre déjà existant, dupliquez ce dernier pour gagner du temps et apportez les modifications nécessaires à la copie.

La boîte de dialogue Enregistrer sous s'affiche.

④ Cliquez ici pour afficher la liste de vos dossiers.

⑤ Cliquez **Documents**.

Note. La plupart des programmes vous proposent par défaut d'enregistrer le document dans le dossier Documents.

DUPLIQUEZ UN DOCUMENT

DUPLIQUEZ UN DOCUMENT (SUITE)

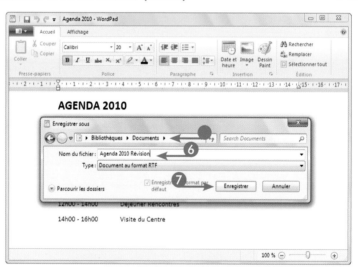

● Le dossier Documents s'affiche.

⑥ Cliquez dans la zone de texte **Nom du fichier** et tapez le nom à attribuer à la copie du fichier.

Note. *Le nom du fichier peut contenir jusqu'à 255 caractères, mais aucun des caractères suivants : < > , ? : " \ et *.*

⑦ Cliquez **Enregistrer**.

Vous pouvez faire appel à la commande Enregistrer sous pour sauvegarder un document. Il suffit d'enregistrer une copie du document avec le même nom mais dans un emplacement différent : un autre disque dur, un lecteur flash USB ou tout autre support amovible. Attention : si vous appliquez cette technique, le document ouvert dans la fenêtre du programme sera la copie et non l'original. Fermez la copie et rouvrez le document original pour y poursuivre votre travail.

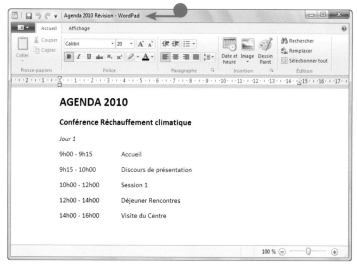

Le programme ferme le document d'origine et ouvre la copie que vous venez de créer.

● Le nom que vous avez tapé apparaît dans la barre de titre.

MODIFIEZ UN TEXTE

MODIFIEZ UN TEXTE

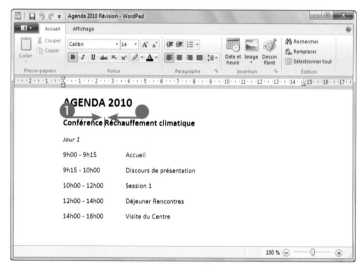

SUPPRIMEZ DU TEXTE

① Cliquez juste à gauche du premier caractère à supprimer.

● Le point d'insertion apparaît devant le caractère.

Maîtriser les techniques de modification, de sélection, de copie et de déplacement de texte augmente votre efficacité lors du travail sur les documents composés essentiellement de texte (fichier texte, document de traitement de texte ou message électronique).

2 Appuyez autant de fois que nécessaire sur **Suppr** jusqu'à l'effacement total du texte à supprimer.

Note. *Vous pouvez aussi cliquer juste à droite du dernier caractère à supprimer et appuyer sur* **Retour arrière**.

Note. *En cas d'erreur, appuyez sur* **Ctrl** + **Z**, *cliquez le bouton* **Annuler** (🔄) *ou* **Edition ➜ Annuler**.

MODIFIEZ UN TEXTE

MODIFIEZ UN TEXTE (SUITE)

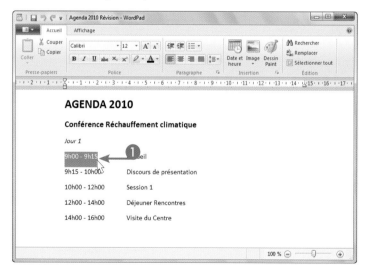

① Cliquez et faites glisser le curseur sur le texte à sélectionner.

Voici les raccourcis les plus utiles pour sélectionner du texte dans WordPad :

⬤ Cliquez devant une ligne pour la sélectionner.

⬤ Double-cliquez un mot pour le sélectionner.

⬤ Triple-cliquez dans un paragraphe pour le sélectionner.

⬤ Appuyez sur **Ctrl** + **A** pour sélectionner la totalité du document.

⬤ Si la sélection est longue, cliquez à gauche du premier caractère à sélectionner, faites défiler le document jusqu'à la fin de la sélection, appuyez et maintenez enfoncée la touche **Maj**, puis cliquez à droite du dernier caractère à sélectionner.

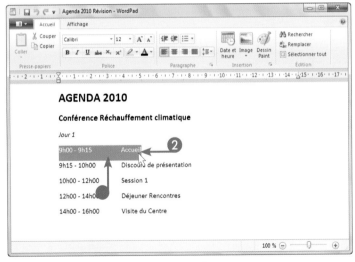

② Relâchez le bouton de la souris.

⬤ Le texte est sélectionné.

MODIFIEZ UN TEXTE

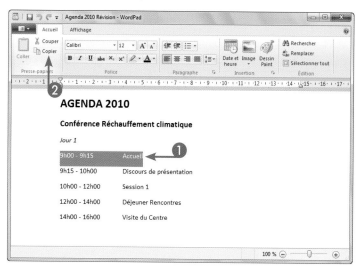

COPIEZ DU TEXTE

① Sélectionnez le texte à copier.

② Cliquez **Copier** (🖺).

Note. *Dans la plupart des programmes, vous pouvez aussi appuyer sur* Ctrl *+* C *ou cliquer le menu* **Edition → Copier***.*

80

Une fois le texte sélectionné, vous gagnez du temps en apportant simultanément des modifications à tous les caractères sélectionnés. Découvrez quelques exemples dans la suite de cette section.

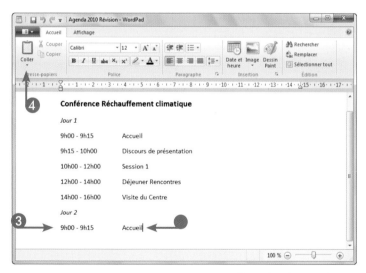

3 Cliquez dans le document à l'endroit où insérer le texte.

Le point d'insertion apparaît là où vous avez cliqué.

4 Cliquez **Coller** (☐).

Note. Dans la plupart des programmes, vous pouvez aussi appuyer sur Ctrl + V ou cliquer le menu **Edition** ➜ **Coller**.

● Le texte copié apparaît au niveau du point d'insertion.

MODIFIEZ UN TEXTE

MODIFIEZ UN TEXTE (SUITE)

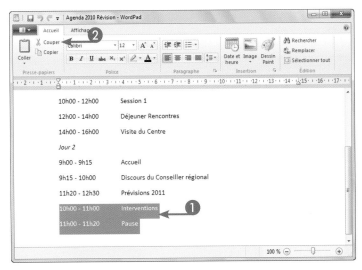

DÉPLACEZ DU TEXTE

1 Sélectionnez le texte à déplacer.

2 Cliquez **Couper** ([✂]).

Note. *Dans la plupart des programmes, vous pouvez aussi appuyer sur* Ctrl *+* X *ou cliquer le menu* **Edition → Couper**.

Le programme supprime le texte sélectionné.

Pour déplacer du texte avec la souris, commencez par le sélectionner, puis cliquez et faites glisser la sélection vers sa nouvelle position. Pour copier le texte, procédez de la même manière tout en maintenant enfoncée la touche Ctrl.

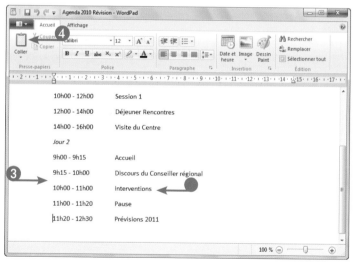

③ Cliquez dans le document à l'endroit où déplacer le texte.

Le point d'insertion apparaît là où vous avez cliqué.

④ Cliquez **Coller** (☐).

Note. Dans la plupart des programmes, vous pouvez aussi appuyer sur Ctrl + V ou cliquer le menu **Edition → Coller**.

⬤ Le texte apparaît au niveau du point d'insertion.

METTEZ EN FORME LES CARACTÈRES

❶ Sélectionnez le texte à mettre en forme.

Dans un programme de traitement de texte, donnez plus d'impact à votre document en appliquant une mise en forme aux caractères.

Vous pouvez par exemple changer la police, le style (gras et/ou italique) et la taille des caractères et leur appliquer des effets (soulignement, couleurs).

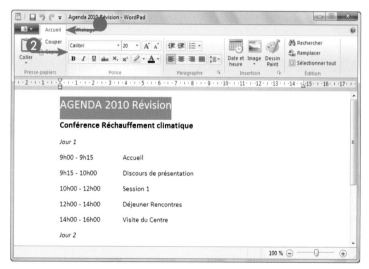

② Affichez les options relatives à la police.

● Dans WordPad, les options de police se trouvent dans l'onglet Accueil.

Note. *Dans la plupart des programmes, vous affichez les options de police en cliquant* ***Format*** *dans la barre de menus, puis en sélectionnant* ***Police***.

METTEZ EN FORME LES CARACTÈRES (SUITE)

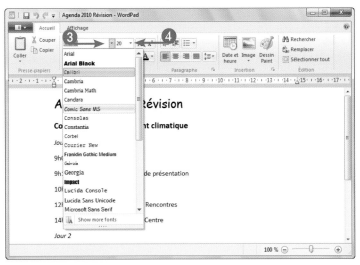

③ Cliquez la flèche ⊡ de la liste **Police**, puis choisissez votre police.

④ Dans la liste **Taille**, choisissez la taille des caractères.

Voici quelques conseils pour optimiser vos mises
en forme :

● Limitez le nombre de polices utilisées à un maximum de
deux pour préserver l'homogénéité du document.

● Évitez les polices fantaisistes et trop décoratives souvent
peu lisibles.

● Réservez les caractères gras et de grande taille aux titres et
sous-titres.

● N'utilisez l'attribut italique que pour mettre en évidence des
mots et des phrases ou les titres de livres et de magazines.

● Choisissez une couleur de caractère qui contraste
suffisamment avec l'arrière-plan. Pour une meilleure lisibilité,
préférez un texte sombre sur un fond clair.

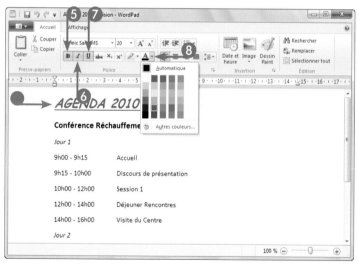

⑤ Pour mettre le texte en gras,
cliquez le bouton **Gras** (B).

⑥ Pour mettre le texte en italique,
cliquez le bouton **Italique** (I).

⑦ Pour souligner le texte, cliquez
le bouton **Souligné** (U).

⑧ Pour changer la couleur,
cliquez ⏷ du bouton **Couleur
du texte**, puis une couleur.

● La mise en forme est appliquée
au texte sélectionné.

Note. Les raccourcis suivants
fonctionnent dans la plupart des
programmes : appuyez sur Ctrl +
G pour mettre en gras, Ctrl + I
pour l'italique et Ctrl + U pour le
soulignement.

RECHERCHEZ DU TEXTE

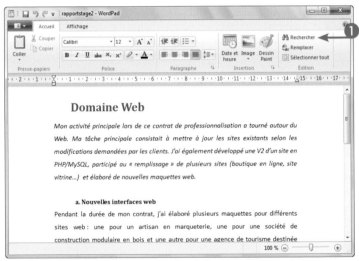

1 Cliquez **Rechercher** (🔍).

Note. *Dans la plupart des programmes, vous pouvez aussi appuyer sur* **Ctrl** + **F** *ou cliquer* **Edition ➜ Rechercher**.

Lorsque vous recherchez du texte spécifique dans un long document, gagnez du temps en utilisant la fonction de recherche du programme.

Généralement, les programmes traitant les documents composés de texte, comme le Bloc-notes ou WordPad, disposent d'une fonction de recherche.

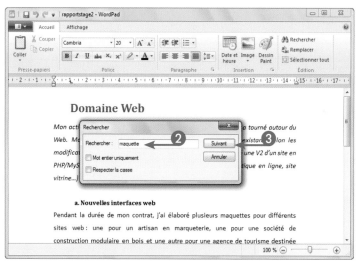

La boîte de dialogue Rechercher s'affiche.

2 Cliquez dans la zone **Rechercher** et tapez le texte à trouver.

3 Cliquez **Suivant**.

RECHERCHEZ DU TEXTE (SUITE)

● Le programme sélectionne l'occurrence suivante du texte recherché.

Note. *Si le programme ne trouve pas le texte recherché, un message apparaît pour vous en avertir.*

④ Si l'occurrence ne correspond pas à celle que vous recherchez, cliquez **Suivant** jusqu'à trouver celle qui vous intéresse.

⑤ Cliquez ⊠ pour fermer la boîte de dialogue Rechercher.

Différentes options vous permettent d'affiner votre recherche en limitant les mots trouvés à ceux qui sont réellement pertinents.

Dans la boîte de dialogue Rechercher, cliquez Mot entier uniquement (□ devient ☑) pour préciser que la suite de caractères constitue un mot indépendant et ne fait pas partie d'un autre mot. Cela permet d'exclure les mots *organe*, *dehors* et *castor*, par exemple, lorsque vous recherchez le mot *or*.

Cliquez Respecter la casse (□ devient ☑) pour tenir compte des majuscules et des minuscules. Si vous recherchez, par exemple, le nom de la ville de Rennes, la fonction de recherche ignore le mot rennes.

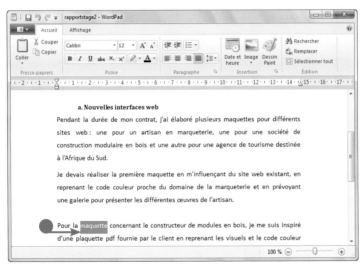

● Le texte trouvé reste sélectionné.

IMPRIMEZ UN DOCUMENT

IMPRIMEZ UN DOCUMENT

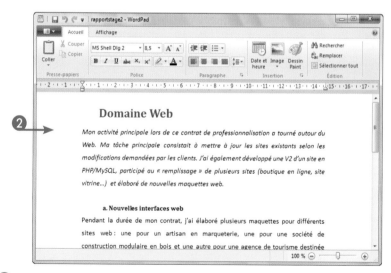

① Allumez votre imprimante.

② Ouvrez le document à imprimer.

Vous aurez parfois besoin de la version papier d'un document électronique, pour vos propres archives ou pour le remettre à quelqu'un. Il suffit dans ce cas d'imprimer le document.

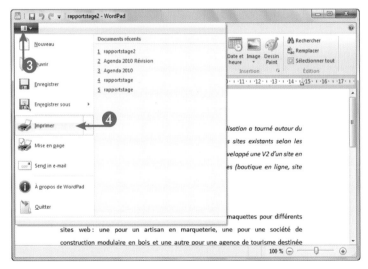

③ Cliquez **Fichier** (▣).

④ Cliquez **Imprimer**.

Note. Dans la plupart des programmes, vous pouvez aussi appuyer sur **Ctrl** + **P** ou cliquer le bouton **Imprimer** (🖶).

IMPRIMEZ UN DOCUMENT (SUITE)

La boîte de dialogue Imprimer s'affiche.

Note. *L'apparence de cette boîte de dialogue varie selon le programme utilisé.*

⑤ Si l'ordinateur est relié à plusieurs imprimantes, cliquez celle à utiliser.

⑥ Cliquez les flèches ⬍ dans la zone Nombre de copies pour spécifier le nombre d'exemplaires à imprimer.

⑦ Cliquez **Imprimer**.

Voici différentes méthodes, applicables dans la majorité des programmes, pour limiter l'impression à une partie du document :

● Avant de lancer l'impression, sélectionnez le texte à imprimer. Dans la boîte de dialogue Imprimer, cliquez **Sélection** (◉ devient ◉).

● Avant de lancer l'impression, cliquez dans la page à imprimer pour y placer le point d'insertion. Dans la boîte de dialogue Imprimer, cliquez **Page actuelle** (◉ devient ◉).

● Dans la boîte de dialogue Imprimer, cliquez **Pages** (◉ devient ◉). Précisez ensuite les numéros des première et dernière pages à imprimer, en les séparant par un tiret (3-6, par exemple).

● Le document est envoyé à l'imprimante. L'icône 🖨 apparaît dans la zone de notification.

OUVREZ LA BIBLIOTHÈQUE IMAGES

❶ Cliquez **Démarrer**.

❷ Cliquez **Images**.

Windows 7 stocke par défaut les images dans la bibliothèque Images, spécialement conçue à cette fin. Vous devez l'ouvrir pour accéder à vos images, les afficher et les modifier.

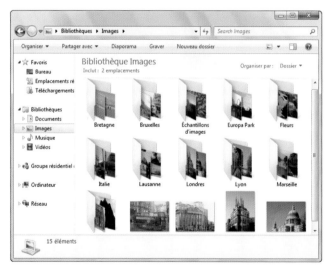

La bibliothèque Images s'affiche.

AFFICHEZ L'APERÇU D'UNE IMAGE

1 Cliquez le fichier image à prévisualiser.

● Le volet des détails affiche une miniature de l'image.

● Les informations sur le fichier s'affichent ici.

2 Cliquez **Afficher le volet de visualisation** (▥).

La bibliothèque Images offre plusieurs moyens de prévisualiser un fichier image. Le volet des détails, situé au bas de la fenêtre, présente un aperçu de l'image, ainsi que les informations sur le fichier, telles que son type, ses dimensions et sa taille. Le volet de visualisation, à droite de la fenêtre, offre un aperçu plus étendu de l'image.

Le volet de visualisation peut également afficher les images stockées dans des sous-dossiers – des dossiers stockés dans la bibliothèque Images.

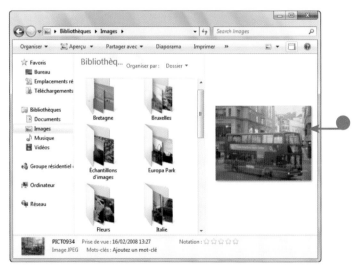

● Le volet de visualisation s'ouvre et affiche un aperçu plus grand de l'image.

VISIONNEZ VOS IMAGES

VISIONNEZ VOS IMAGES

① Cliquez le fichier image.

② Cliquez la flèche ⊡ du bouton
Aperçu.

③ Cliquez **Visionneuse de photos
Windows**.

Explorez le contenu de la bibliothèque Images et de ses sous-dossiers à l'aide de la Visionneuse de photos Windows ou de la Galerie de photos Windows Live.

Ces programmes permettent de visionner un diaporama de vos photos et de grossir une image afin de l'examiner en détail. Consultez le chapitre 10 pour installer la Galerie de photos Windows Live.

L'image s'affiche dans la Visionneuse de photos Windows.

④ Pour examiner l'image en détail, cliquez la loupe, puis faites glisser le curseur vers le haut.

⑤ Cliquez ▶ pour afficher l'image suivante.

⑥ Cliquez ◀ pour afficher l'image précédente.

⑦ Pour afficher un diaporama de toutes les images du dossier, cliquez le bouton **Lire le diaporama** (▣).

Note. Pour arrêter le diaporama, appuyez sur Echap.

VISIONNEZ VOS IMAGES

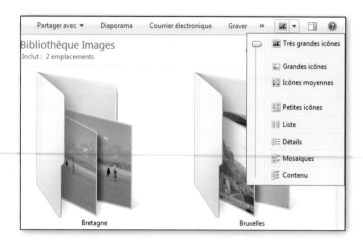

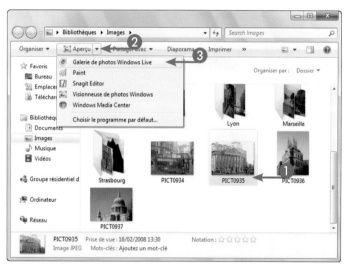

AVEC LA GALERIE DE PHOTOS WINDOWS LIVE

❶ Cliquez le fichier image.

❷ Cliquez la flèche ⏷ du bouton **Aperçu**.

❸ Cliquez **Galerie de photos Windows Live**.

Pour visionner vos images sans faire appel à la Visionneuse de photos Windows, changez l'affichage de la bibliothèque Images de manière à afficher de grandes vignettes. Cliquez la flèche du bouton Changer l'affichage, puis Très grandes icônes.

L'image s'affiche dans la Galerie de photos Windows Live.

④ Pour l'examiner en détail, faites glisser le curseur vers la droite.

⑤ Cliquez ▶ pour afficher l'image suivante.

⑥ Cliquez ◀ pour afficher l'image précédente.

⑦ Pour afficher un diaporama de toutes les images du dossier, cliquez **Diaporama** (🖵).

Note. Pour arrêter le diaporama, appuyez sur Echap.

NUMÉRISEZ UNE IMAGE

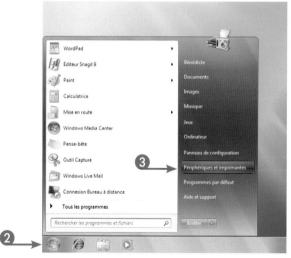

① Allumez votre scanneur ou votre imprimante et placez l'image à numériser sur la vitre.

② Cliquez **Démarrer**.

③ Cliquez **Périphériques et imprimantes**.

Vous pouvez numériser le tirage d'une photo ou une image imprimée à l'aide d'un scanneur ou de la fonction scanneur d'une imprimante multifonction. La numérisation terminée, le fichier image est stocké dans votre ordinateur.

Le fichier obtenu peut être envoyé par courrier électronique, téléchargé sur une page Web ou inséré dans un document.

La fenêtre Périphériques et imprimantes s'affiche.

④ Cliquez le périphérique à utiliser pour effectuer la numérisation.

⑤ Cliquez **Démarrer la numérisation**.

La boîte de dialogue Nouvelle numérisation s'affiche.

NUMÉRISEZ UNE IMAGE

NUMÉRISEZ UNE IMAGE (SUITE)

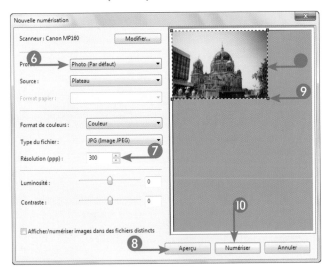

6 Cliquez la liste déroulante **Profil** puis cliquez **Photo**.

7 Cliquez ⬍ dans la zone **Résolution** pour spécifier la résolution de numérisation.

Note. *Une résolution élevée donne une meilleure définition de l'image numérique, mais aussi un fichier plus volumineux.*

8 Cliquez **Aperçu**.

● Un aperçu de l'image apparaît ici.

9 Cliquez et faites glisser les contours du cadre de sélection pour définir la zone de numérisation.

10 Cliquez **Numériser**.

Windows 7 stocke l'image numérisée dans la bibliothèque Images. Il y crée un nouveau dossier nommé d'après la date du jour, suivie de la description du fichier que vous tapez dans la boîte de dialogue Importer des images et des vidéos. Il suffit d'ouvrir le sous-dossier pour retrouver l'image numérisée.

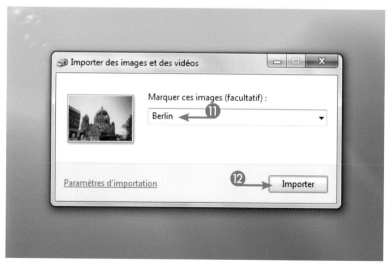

La numérisation de l'image débute.

La boîte de dialogue Importer des images et des vidéos s'ouvre.

⑪ Tapez une brève description de l'image.

⑫ Cliquez **Importer**.

L'image est importée dans votre ordinateur.

IMPORTEZ LES PHOTOS D'UN APPAREIL NUMÉRIQUE

IMPORTEZ LES PHOTOS D'UN APPAREIL NUMÉRIQUE

① Raccordez votre appareil numérique ou votre lecteur de cartes mémoire à votre ordinateur.

La boîte de dialogue Exécution automatique s'affiche.

② Cliquez **Importer des images et des vidéos avec Windows**.

Raccordez votre appareil photo numérique à votre ordinateur pour transférer sur ce dernier les photos que vous avez prises. Si votre ordinateur est équipé d'un lecteur de cartes, vous pouvez aussi y insérer la carte mémoire de l'appareil pour transférer les photos numériques à partir du support amovible configuré par Windows 7.

Vous pouvez afficher, modifier et imprimer les images ainsi importées.

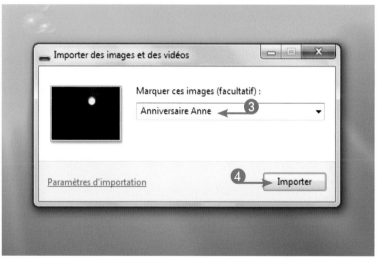

La boîte de dialogue Importer des images et des vidéos s'ouvre.

③ Tapez une brève description des photos.

④ Cliquez **Importer**.

IMPORTEZ LES PHOTOS D'UN APPAREIL NUMÉRIQUE

L'importation des photos numériques débute.

⑤ Pour que Windows 7 supprime les photos de l'appareil ou de la carte, cochez **Effacer après l'importation** (☐ devient ☑).

110

En règle générale, Windows 7 stocke les images et les photos importées dans la bibliothèque Images. Il y crée un nouveau sous-dossier, nommé d'après la date du jour suivie de la description saisie dans la boîte de dialogue Importer des images et des vidéos. Si vous importez les images le 13 juillet 2009 et tapez Vacances Bretagne dans la zone de texte Marquer ces images, le sous-dossier s'appelle « 2009-07-13 Vacances Bretagne ». Ouvrez le sous-dossier pour retrouver vos photos.

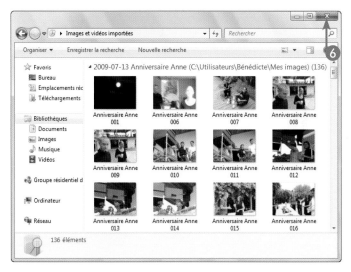

Les photos importées s'affichent dans la fenêtre Images et vidéos importées.

6 Cliquez ⊠ pour fermer la fenêtre.

CORRIGEZ UNE IMAGE

CORRIGEZ UNE IMAGE

1 Cliquez **Démarrer**.

2 Cliquez **Tous les programmes**.

Note. *Le nom du bouton devient Précédent.*

3 Cliquez **Windows Live**.

4 Cliquez **Galerie de photos Windows Live**.

L a Galerie de photos Windows Live dispose dans une fenêtre spéciale de différents outils destinés à la retouche des photos et des images numériques.

La fenêtre de correction permet de régler la luminosité, le contraste, la température des couleurs, la teinte et la saturation d'une image. Vous pouvez également recadrer et faire pivoter une image ou corriger l'effet yeux rouges. Consultez le chapitre 10 pour installer la Galerie de photos Windows Live.

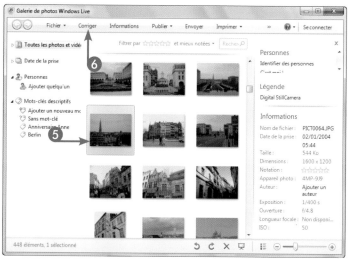

La Galerie de photos Windows Live s'ouvre.

⑤ Cliquez l'image à retoucher.

⑥ Cliquez **Corriger** pour ouvrir la fenêtre de correction.

CORRIGEZ UNE IMAGE (SUITE)

⑦ Pour corriger l'exposition, cliquez **Ajuster l'exposition**, puis faites glisser les curseurs **Luminosité** et **Contraste**.

⑧ Pour corriger les couleurs, cliquez **Ajuster la couleur**, puis faites glisser les curseurs **Température de couleur**, **Teinte** et **Saturation**.

● Vous pouvez aussi cliquer **Ajustement automatique** pour corriger automatiquement l'exposition et les couleurs.

⑨ Pour éliminer les yeux rouges, cliquez **Corriger les yeux rouges**.

L orsque vous prenez une photo verticale avec votre appareil numérique, elle s'affiche horizontalement une fois transférée sur votre ordinateur. Vous pouvez aussi avoir posé dans le mauvais sens l'image sur la vitre du scanneur. Dans la fenêtre de correction, cliquez ⤺ pour faire pivoter l'image dans le sens inverse des aiguilles d'une montre, et ⤻ pour la faire pivoter dans l'autre sens.

⑩ Pour recadrer la photo, cliquez **Rogner la photo**.

⑪ Cliquez la liste déroulante **Proportion**, puis une option.

Note. L'option D'origine préserve le rapport entre la hauteur et la largeur de l'image originale, Personnalisée permet de les modifier indépendamment.

⑫ Cliquez et faites glisser les poignées de l'image pour la redimensionner.

⑬ Cliquez **Appliquer**.

⑭ Les opérations de retouche terminées, cliquez **Retour à la Galerie**.

Les corrections sont appliquées.

IMPRIMEZ UNE IMAGE

① Dans la bibliothèque **Images**, sélectionnez la ou les images à imprimer.

Vous pouvez imprimer les images depuis la bibliothèque Images et ses sous-dossiers. La boîte de dialogue Imprimer les images permet de choisir l'imprimante à utiliser, la mise en page et de lancer l'impression.

Vous pouvez imprimer une seule ou plusieurs images. Si vous imprimez plusieurs images, vous pouvez les disposer sur la même page ou séparément.

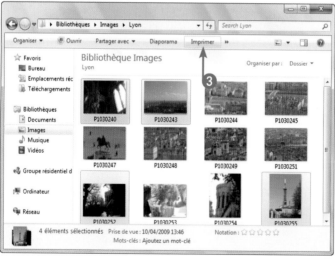

② Cliquez **Imprimer**.

IMPRIMEZ UNE IMAGE

IMPRIMEZ UNE IMAGE (SUITE)

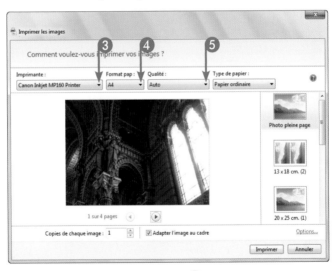

La boîte de dialogue Imprimer les images s'affiche.

③ Si l'ordinateur est relié à plusieurs imprimantes, cliquez ici puis l'imprimante à utiliser.

④ Cliquez ici, puis choisissez le format du papier utilisé.

⑤ Cliquez ici, puis choisissez la qualité d'impression à appliquer.

Note. Une valeur élevée donne une impression de meilleure qualité.

Selon l'imprimante que vous utilisez, vous pouvez imprimer sur une grande variété de types de papier, y compris du papier ordinaire. Toutefois, le papier photo améliore la netteté et les couleurs des tirages et augmente leur durée de vie. Il existe divers finis de papier, allant du mat au brillant. Veillez, de toute façon, à choisir un papier recommandé par votre marque d'imprimante.

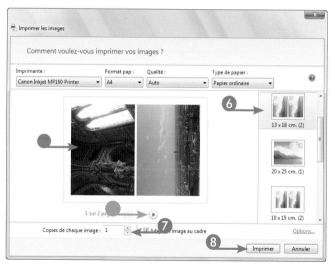

⑥ Cliquez la mise en page à appliquer.

⬤ Un aperçu de la mise en page s'affiche.

⬤ Cliquez ▶ pour voir les pages suivantes.

⑦ Cliquez 🔼 pour définir le nombre d'exemplaires à imprimer.

⑧ Cliquez **Imprimer**.

L'impression débute.

OUVREZ ET FERMEZ LE LECTEUR WINDOWS MEDIA

● OUVREZ ET FERMEZ LE LECTEUR WINDOWS MEDIA ──────

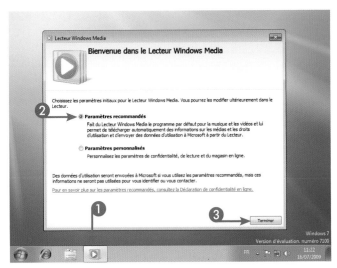

❶ Dans la barre des tâches, cliquez **Lecteur Windows Media** (⏵).

Note. *Si l'icône ne se trouve pas dans la barre des tâches, cliquez Démarrer → Tous les programmes → Lecteur Windows Media.*

À la première utilisation du programme, la boîte de dialogue Bienvenue dans le Lecteur Windows Media apparaît.

❷ Cliquez **Paramètres recommandés** (◎ devient ◉).

❸ Cliquez **Terminer**.

120

Windows 7 fournit un outil, le Lecteur Windows Media, qui permet de lire du son et de la vidéo. Pour utiliser ce programme, il faut bien sûr l'ouvrir. Dès que vous avez fini de vous en servir, fermez-le pour éviter de trop solliciter le processeur.

La fenêtre Lecteur Windows Media s'affiche.

④ Lorsque vous avez terminé, cliquez ⊠ pour quitter le programme.

BARRE D'ADRESSE

Indique l'emplacement actuel dans la bibliothèque du lecteur multimédia.

ONGLETS

Les onglets sont des liens vers les fonctionnalités clés du Lecteur Windows Media.

BARRE D'OUTILS

Permet d'accéder aux commandes, de changer l'affichage et de rechercher du contenu multimédia.

VOLET DE NAVIGATION

Permet de naviguer entre les différentes catégories de la bibliothèque du lecteur.

COMMANDES DE LECTURE

Contrôlent la lecture d'un fichier audio ou vidéo et permettent de régler le volume sonore.

VOLET DÉTAILS

Affiche des informations sur le contenu de la bibliothèque en cours, telles que le nom de l'album et son genre, ainsi que le titre et la durée du morceau ou de la vidéo.

Familiarisez-vous avec les différents éléments du Lecteur Windows Media afin de profiter pleinement de ses fonctionnalités.

UTILISEZ LA BIBLIOTHÈQUE

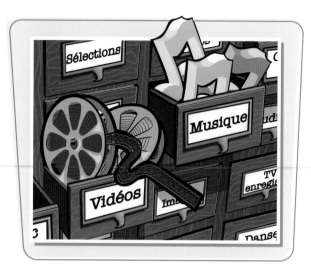

UTILISEZ LA BIBLIOTHÈQUE

EXPLOREZ LA BIBLIOTHÈQUE

❶ Dans le volet de navigation, cliquez la catégorie à afficher.

❷ Si la catégorie inclut des sous-catégories, cliquez une sous-catégorie pour visionner son contenu.

❸ Double-cliquez l'élément de votre choix.

Maîtrisez les différentes fonctions de la bibliothèque du Lecteur Windows Media afin de mieux gérer votre collection de fichiers multimédias.

Dès sa première utilisation, le Lecteur Windows Media actualise automatiquement la bibliothèque avec les fichiers contenus dans les dossiers multimédias de l'ordinateur, tels que Musique et Vidéos.

Le Lecteur Windows Media affiche le contenu de l'élément dans le volet Détails.

● Cliquez les éléments de la barre d'adresse pour revenir à une catégorie ou à une sous-catégorie.

● Cliquez une flèche pour afficher le contenu d'un élément de la barre d'adresse.

UTILISEZ LA BIBLIOTHÈQUE (SUITE)

**CHANGEZ L'AFFICHAGE
DE LA BIBLIOTHÈQUE**

① Cliquez la flèche ⬝ du bouton
Afficher les options.

② Choisissez l'affichage à
appliquer.

Pour créer ses dossiers et sous-dossiers, la bibliothèque trie et classe les fichiers grâce à certaines informations intégrées dans chaque fichier, appelées *métadonnées*. Pour la musique, il s'agit, par exemple, du nom de l'artiste, du titre de l'album, du titre de la chanson, du genre musical, du classement. Elles identifient également le type de fichier.

Le Lecteur Windows Media adopte
le nouvel affichage.

LISEZ UN FICHIER AUDIO OU VIDÉO

① Localisez dans la bibliothèque le dossier contenant le fichier audio ou vidéo à lire.

Note. *Reportez-vous à la section « Utilisez la bibliothèque » pour explorer la bibliothèque et ses dossiers.*

② Cliquez le fichier audio ou vidéo.

③ Cliquez le bouton **Lire** (▶).

④ Cliquez **Basculer en mode Lecture en cours** (▤) pour afficher les visualisations pendant la lecture d'un fichier audio.

Le Lecteur Windows Media utilise la bibliothèque pour lire les fichiers audio stockés dans votre ordinateur. Pendant la lecture, vous pouvez cliquer l'onglet Lecture en cours pour voir les images vidéo ou afficher les visualisations qui accompagnent la musique.

Le Lecteur Windows Media démarre la lecture du fichier.

⑤ Déplacez le pointeur dans la fenêtre Lecture en cours.

⬤ Les boutons de lecture apparaissent et vous permettent de contrôler la lecture du morceau ou de la vidéo.

Note. Reportez-vous à la section « Écoutez un CD audio » pour en savoir plus sur les boutons de lecture.

⬤ Pour revenir à la bibliothèque du lecteur, cliquez **Basculer vers la bibliothèque** (▦).

RÉGLEZ LE VOLUME SONORE

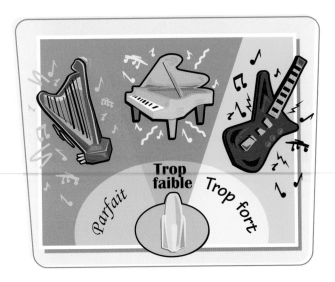

● RÉGLEZ LE VOLUME SONORE

DANS LA BIBLIOTHÈQUE

① Faites glisser le curseur **Volume** vers la gauche (pour réduire le volume) ou vers la droite (pour l'augmenter).

● Pour couper le son de la lecture, cliquez **Muet** (◄).

Note. Pour rétablir le volume, cliquez **Son** (◄).

Augmentez ou diminuez le volume sonore du Lecteur Windows Media pour votre confort d'écoute. En cas de besoin, vous pouvez temporairement couper le son de la lecture.

DANS LA FENÊTRE
LECTURE EN COURS

1 Déplacez le pointeur ⌖ dans la fenêtre Lecture en cours pour afficher les commandes de lecture.

2 Cliquez ici et faites glisser le curseur **Volume** vers la gauche (pour réduire le volume) ou vers la droite (pour l'augmenter).

● Pour couper le son, cliquez **Muet** (🔊).

Note. *Pour rétablir le volume, cliquez* **Son** *(🔊).*

131

ÉCOUTEZ UN CD AUDIO

● ÉCOUTEZ UN CD AUDIO

ÉCOUTEZ UN CD

❶ Insérez un CD audio dans le lecteur de votre ordinateur.

Si le Lecteur Windows Media n'est pas en cours d'utilisation, la fenêtre Lecture en cours apparaît et la lecture du CD débute.

● S'il s'agit d'un CD acheté dans le commerce, sa couverture s'affiche ici.

e Lecteur Windows Media permet d'écouter des CD audio. Certaines options de lecture se contrôlent *via* la fenêtre Lecture en cours, mais vous vous accédez à davantage d'options en basculant vers la bibliothèque.

② Déplacez le pointeur ↖ dans la fenêtre Lecture en cours pour afficher les commandes de lecture.

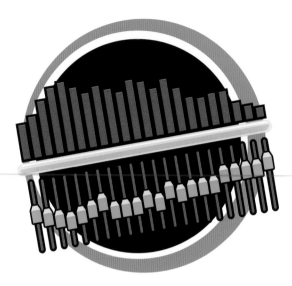

● ÉCOUTEZ UN CD AUDIO (SUITE)

CHANGEZ DE PISTE

③ Cliquez **Suivant** (▶▶) pour lire la piste suivante.

④ Cliquez **Précédent** (◀◀) pour lire la piste précédente.

Pour changer la visualisation affichée au cours de la lecture, cliquez du bouton droit dans la fenêtre Lecture en cours et choisissez Visualisations. La liste des catégories de visualisation s'affiche. Cliquez une catégorie, puis sélectionnez la visualisation à afficher.

Le Lecteur Windows Media possède un égaliseur graphique qui permet de régler le niveau des fréquences. Pour l'afficher, cliquez du bouton droit dans la fenêtre Lecture en cours, cliquez Améliorations, puis Égaliseur graphique. Pour appliquer un réglage prédéfini, cliquez Par défaut, puis sélectionnez une option prédéfinie, comme Rock ou Classique. Sinon, servez-vous des curseurs pour définir vos propres fréquences.

METTEZ LA LECTURE EN PAUSE

⑤ Cliquez **Suspendre** (▯).

La lecture s'interrompt.

⑥ Cliquez **Lire** (▶).

La lecture reprend là où vous l'avez suspendue.

● **ÉCOUTEZ UN CD AUDIO (SUITE)**

7 Cliquez **Arrêter** ().

La lecture s'arrête.

Si vous cliquez **Lire** (▶) après avoir cliqué **Arrêter** (■), la lecture reprend au début du titre.

8 Cliquez **Basculer vers la bibliothèque** (▦) pour ouvrir la fenêtre de la bibliothèque.

râce aux boutons de lecture situés au bas de la
bibliothèque du Lecteur Windows Media, vous
pouvez arrêter la lecture d'un CD et choisir une autre
chanson, répéter la totalité du CD ou encore écouter
les pistes en mode aléatoire.

ÉCOUTEZ UN AUTRE TITRE

9 Dans le volet Détails, double-
cliquez le morceau à écouter.

La lecture du morceau débute.

● Cette zone présente le titre de
la chanson, le titre de l'album et
l'auteur.

Pour configurer la fenêtre Lecture en cours de sorte qu'elle soit toujours visible, au-dessus des autres fenêtres ouvertes, cliquez du bouton droit dans la fenêtre Lecture en cours, puis cliquez Lecture en cours toujours visible.

Lecture en cours

Bonjour Bonjour !

Les optimistes

ÉCOUTEZ UN CD AUDIO (SUITE)

RÉPÉTEZ LA LECTURE

⑩ Cliquez **Activer la répétition** (🔄).

Le CD va redémarrer une fois la dernière piste écoutée.

Note. Pour activer la répétition dans la fenêtre Lecture en cours, appuyez sur Ctrl + T.

Le Lecteur Windows Media télécharge les informations concernant le CD audio *via* Internet. S'il n'en trouve aucune, il n'affiche pas les titres des chansons dans le volet Détails, mais les numéros de pistes. Pour ajouter manuellement les titres, cliquez une piste du bouton droit et choisissez Modifier. Tapez le titre du morceau, puis appuyez sur Entrée ou appuyez sur F2, puis Tab.

ACTIVEZ LA LECTURE ALÉATOIRE

⑪ Cliquez **Activiter la lecture aléatoire** (⊻).

Le Lecteur Windows Media lit les pistes du CD sans suivre l'ordre affiché.

Note. Pour activer la lecture aléatoire dans la fenêtre Lecture en cours, appuyez sur Ctrl + H.

139

● **COPIEZ LES PISTES D'UN CD AUDIO**

**COPIEZ UN CD AVEC LA FENÊTRE
LECTURE EN COURS**

① Insérez un CD dans le lecteur
de votre ordinateur.

La fenêtre Lecture en cours
s'affiche.

② Cliquez **Extraire le contenu du
CD** (■).

Le Lecteur Windows Media copie
les pistes du CD sur votre disque
dur.

Grâce au Lecteur Windows Media, vous pouvez lire le contenu de vos CD audio sans les insérer dans le lecteur de l'ordinateur. Pour cela, vous devez extraire les pistes des CD, c'est-à-dire les copier sur votre disque dur.

Vous pouvez extraire la totalité d'un CD directement à partir de la fenêtre Lecture en cours ou extraire des pistes sélectionnées *via* la bibliothèque.

COPIEZ DES PISTES SÉLECTIONNÉES AVEC LA BIBLIOTHÈQUE

1 Insérez un CD dans le lecteur de votre ordinateur.

Si la fenêtre Lecture en cours apparaît, cliquez **Basculer vers la bibliothèque**.

● Le Lecteur Windows Media affiche la liste des pistes du CD.

2 Cliquez les pistes à ne pas extraire (☑ devient ☐).

3 Cliquez **Extraire le CD**.

COPIEZ LES PISTES D'UN CD AUDIO (SUITE)

Le Lecteur Windows Media copie la ou les pistes sur votre disque dur.

● La colonne État de l'extraction affiche la progression de l'extraction.

Pour supprimer de la bibliothèque une piste extraite par erreur, cliquez Musique ➜ Album, puis double-cliquez l'album extrait pour afficher la liste des titres. Cliquez du bouton droit la piste à supprimer, puis cliquez Supprimer.

Pour choisir la qualité des pistes extraites, vous devez changer le taux d'échantillonnage, lequel définit la quantité de données du CD qui sont copiées sur l'ordinateur. Plus il est élevé, plus la qualité est bonne, mais plus les fichiers générés sont volumineux. Pointez Paramètres d'extraction, Qualité audio, puis cliquez la valeur à définir.

● Dès qu'un fichier est copié, la colonne État de l'extraction affiche le message « Extrait dans la bibliothèque ».

● La copie est terminée lorsque toutes les pistes sélectionnées apparaissent comme extraites dans la bibliothèque.

GRAVEZ DES FICHIERS AUDIO SUR UN CD

❶ Insérez un CD vierge dans le graveur de votre ordinateur.

❷ Cliquez l'onglet **Graver**.

● La sélection à graver apparaît.

L e Lecteur Windows Media permet de copier, ou graver, des fichiers audio de votre ordinateur sur un CD. Vous pouvez ainsi créer vos propres compilations musicales et les écouter sur votre ordinateur comme sur tout autre lecteur de CD.

❸ Faites glisser les éléments de la bibliothèque vers la sélection à graver.

❹ Répétez l'étape ❸ pour ajouter d'autres fichiers à la sélection.

GRAVEZ DES FICHIERS AUDIO SUR UN CD (SUITE)

⬤ Le Lecteur Windows Media ajoute les fichiers à la sélection à graver.

⬤ Le temps restant sur le CD s'affiche ici.

5️⃣ Cliquez **Démarrer la gravure**.

Vous n'êtes pas obligé de graver les titres dans l'ordre où ils apparaissent dans la liste. Il existe plusieurs manières de les réorganiser avant la gravure. La plus simple consiste à faire glisser une piste à un autre endroit dans la liste. Autrement, cliquez Options de gravure ( ), puis soit Lecture aléatoire de la liste, soit Trier la liste par, en sélectionnant un ordre de tri.

Si vous ajoutez à la liste à graver plus de fichiers que ne peut en contenir un seul CD, le Lecteur Windows Media vous invite à insérer des CD supplémentaires au cours de la gravure.

Le Lecteur Windows Media convertit les fichiers en pistes de CD audio et les copie sur le CD.

● L'onglet Graver affiche la progression de la gravure.

Note. La gravure terminée, le CD est automatiquement éjecté. N'essayez surtout pas d'éjecter le CD en cours de gravure.

LISEZ UN DVD

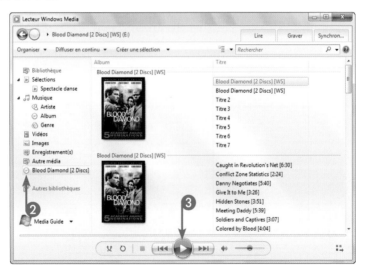

1 Insérez un DVD dans le lecteur de votre ordinateur.

2 Dans le volet de navigation du Lecteur Windows Media, cliquez le DVD.

3 Cliquez **Lire** (▶).

Si votre ordinateur dispose d'un lecteur de DVD et du décodeur approprié, vous pouvez lire les DVD vidéo avec le Lecteur Windows Media.

Selon les réglages du lecteur de DVD et du Lecteur Windows Media, la lecture peut démarrer dès l'insertion du DVD. Sinon, suivez les étapes ci-après.

● Le Lecteur Windows Media lit le DVD et affiche son menu.

L'apparence et la disposition des éléments du menu du DVD varient selon le DVD.

④ Cliquez l'élément ou la fonction de votre choix dans le menu du DVD.

LISEZ UN DVD (SUITE)

La lecture du DVD démarre.

⑤ Pour afficher les commandes de lecture, déplacez le pointeur ⟍ dans la fenêtre du DVD.

● Le Lecteur Windows Media affiche les commandes de lecture.

● Cliquez la flèche du bouton **DVD** pour afficher les listes des options du DVD.

Pour interdire aux enfants l'accès à certains DVD, commencez par leur créer un compte d'utilisateur standard (chapitre 7). Ensuite, dans le Lecteur Windows Media, cliquez Organiser, puis Options. Dans la boîte de dialogue Options, sélectionnez l'onglet DVD, puis cliquez Modifier. Dans la boîte de dialogue Modifier les restrictions, cliquez ▾ puis le niveau de restriction à appliquer aux comptes standard. Fermez la fenêtre, puis cliquez OK.

● Les options du DVD permettent de revenir au menu principal, de sélectionner des fonctionnalités spéciales et d'afficher le DVD en plein écran.

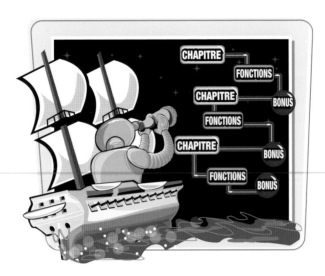

PARCOUREZ UN DVD

**UTILISEZ LES COMMANDES
DE LECTURE**

① Cliquez **Arrêter** (■).

La lecture du DVD s'arrête.

② Cliquez **Lire** (▶).

Le Lecteur Windows Media
reprend la lecture depuis le début.

Vous pouvez aussi cliquer
Suspendre (❚❚) pour interrompre
la lecture si vous souhaitez ensuite
la reprendre au même endroit.

Les commandes de la fenêtre du Lecteur Windows Media permettent de contrôler la lecture du DVD, de passer d'un chapitre à un autre et d'accéder à son menu racine.

Pour suivre les étapes de cette section, vous devez placer votre souris dans la fenêtre du DVD afin d'afficher les commandes de lecture.

3 Cliquez **Précédent** (◀◀) pour revenir au chapitre précédent.

4 Cliquez **Suivant** (▶▶) pour passer au chapitre suivant.

● Vous pouvez aussi déplacer le curseur Recherche pour atteindre n'importe quel endroit du DVD.

Le Lecteur Windows Media propose trois vitesses de lecture : ralentie, normale et rapide. Pour changer la vitesse de lecture, cliquez Lire (▶) du bouton droit. Cliquez ensuite Lecture ralentie pour ralentir la lecture, ou appuyez sur Ctrl + Maj + S. Pour accélérer la lecture, cliquez Lecture rapide ou appuyez sur Ctrl + Maj + G. Pour revenir à la vitesse normale, cliquez Lecture normale ou appuyez sur Ctrl + Maj + N.

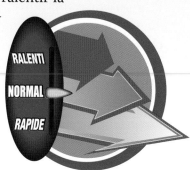

● PARCOUREZ UN DVD (SUITE)

AFFICHEZ LE MENU RACINE

① Cliquez la flèche ▾ du bouton **DVD**.

② Cliquez **Menu racine**.

L e menu racine s'affiche au démarrage du DVD. Il propose des liens vers ses différents éléments : les chapitres, le sous-titrage, les bonus... Pour y accéder à tout moment, en mode plein écran, cliquez du bouton droit sur l'écran du DVD, cliquez Fonctions DVD, puis Menu Racine.

Le menu racine du DVD apparaît.

AFFICHEZ VOS FICHIERS

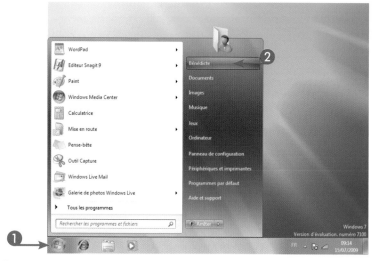

① Cliquez **Démarrer**.

② Cliquez votre nom d'utilisateur.

Le disque dur de votre ordinateur renferme des fichiers que vous avez créés, téléchargés ou copiés. Pour les ouvrir et les manipuler, vous devez d'abord les afficher.

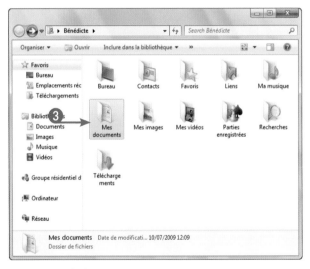

Votre dossier personnel s'ouvre.

③ Double-cliquez le dossier à explorer.

AFFICHEZ VOS FICHIERS (SUITE)

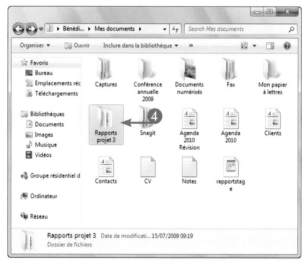

Windows 7 affiche le contenu du dossier.

④ Si les fichiers à afficher se trouvent dans un sous-dossier, double-cliquez ce dernier.

Pour afficher les fichiers stockés sur un CD,
une carte mémoire ou une clé USB, insérez, si
nécessaire, le lecteur externe sur le port approprié et/
ou le support amovible dans le lecteur. Si la fenêtre
Exécution automatique apparaît, cliquez Ouvrir
le dossier et afficher les fichiers. Sinon, cliquez
Démarrer ➜ Ordinateur pour afficher la fenêtre
Ordinateur, puis double-cliquez le lecteur ou le support
contenant les fichiers.

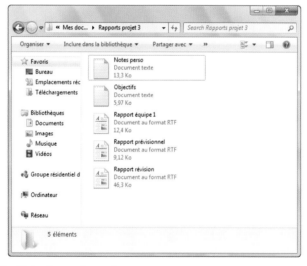

Windows 7 affiche le contenu du
sous-dossier.

SÉLECTIONNEZ UN FICHIER

SÉLECTIONNEZ UN FICHIER
UNIQUE

❶ Ouvrez le dossier contenant le fichier à sélectionner.

❷ Cliquez le fichier.

Que vous vouliez renommer, déplacer ou supprimer des fichiers, vous devez d'abord les sélectionner. Windows 7 sait ainsi précisément sur quels fichiers agir.

Les techniques décrites ci-après s'appliquent aussi à la sélection de dossiers.

SÉLECTIONNEZ PLUSIEURS
FICHIERS

❶ Ouvrez le dossier contenant les fichiers à sélectionner.

❷ Cliquez le premier fichier à sélectionner.

❸ Maintenez enfoncée la touche **Ctrl** et cliquez chacun des autres fichiers à sélectionner.

● SÉLECTIONNEZ UN FICHIER (SUITE)

SÉLECTIONNEZ UN GROUPE
DE FICHIERS CONSÉCUTIFS

❶ Ouvrez le dossier contenant les fichiers à sélectionner.

❷ Placez le pointeur ⤹ en haut à gauche du premier fichier du groupe.

❸ Cliquez et faites glisser le pointeur ⤹ jusqu'à inclure tout le groupe de fichiers dans le rectangle de sélection.

Pour retirer un fichier d'une sélection, enfoncez Ctrl et cliquez le fichier à désélectionner. Pour désélectionner tous les fichiers, cliquez une zone vide du dossier.

Pour inverser une sélection, c'est-à-dire sélectionner tous les fichiers qui ne l'étaient pas auparavant, et désélectionner les autres, appuyez sur Alt. Cliquez ensuite Édition ➜ Inverser la sélection.

① Ouvrez le dossier contenant les fichiers à sélectionner.

② Cliquez **Organiser**.

③ Cliquez **Sélectionner tout**.

● L'Explorateur Windows sélectionne tous les fichiers du dossier.

Note. *Vous pouvez aussi appuyer sur* Ctrl + A *.*

CHANGEZ LE MODE D'AFFICHAGE DES FICHIERS

CHANGEZ LE MODE D'AFFICHAGE DES FICHIERS

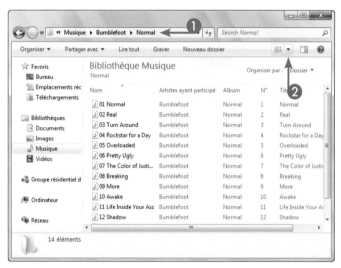

① Ouvrez le dossier contenant les fichiers à afficher.

② Cliquez la flèche ▾ du bouton **Changer l'affichage**.

En modifiant le mode d'affichage des fichiers dans un dossier, vous pouvez changer la taille des icônes ou les informations qui s'affichent concernant chaque fichier.

Le mode d'affichage Petites icônes permet d'afficher plus de fichiers dans la fenêtre. Si vous souhaitez obtenir des informations détaillées concernant chaque fichier, choisissez le mode Mosaïques ou Détails.

③ Cliquez le mode d'affichage à définir.

● Le curseur désigne le mode d'affichage en cours. Vous pouvez aussi le faire glisser pour choisir un autre mode.

● L'Explorateur Windows change le mode d'affichage (en Petites icônes dans cet exemple).

COPIEZ UN FICHIER

① Ouvrez le dossier contenant le fichier à copier.

② Sélectionnez le fichier.

③ Cliquez **Organiser**.

④ Cliquez **Copier**.

Une copie du fichier est placée dans un emplacement spécial appelé *Presse-papiers*.

Vous pouvez copier un fichier de votre disque dur sur un support amovible (une clé USB, par exemple), à des fins de sauvegarde ou pour le transmettre à quelqu'un.

Pour appliquer la technique ci-après à plusieurs fichiers, sélectionnez-les auparavant. Vous pouvez également copier un dossier de la même façon.

⑤ Ouvrez l'emplacement où stocker la copie.

⑥ Cliquez **Organiser**.

⑦ Cliquez **Coller**.

● Windows 7 insère la copie du fichier.

DÉPLACEZ UN FICHIER

① Ouvrez le dossier contenant le fichier à déplacer.

② Sélectionnez le fichier.

③ Cliquez **Organiser**.

④ Cliquez **Couper**.

Windows 7 supprime le fichier du dossier et le place dans un emplacement spécial appelé *Presse-papiers*.

Déplacer un fichier consiste à le supprimer de son emplacement d'origine et à en créer une copie à un nouvel emplacement.

Pour appliquer la technique ci-après à plusieurs fichiers, sélectionnez-les auparavant. Vous pouvez également déplacer un dossier de la même façon.

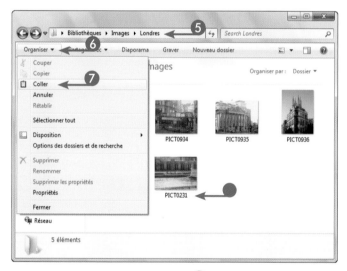

La boîte de dialogue Déplacer les éléments s'affiche.

⑤ Cliquez le nouvel emplacement.

⑥ Cliquez **Organiser**.

⑦ Cliquez **Coller**.

● Windows 7 déplace le fichier.

GRAVEZ DES FICHIERS SUR UN CD OU UN DVD

GRAVEZ DES FICHIERS SUR UN CD OU UN DVD

1 Insérez le CD ou le DVD inscriptible dans le graveur.

La boîte de dialogue Exécution automatique s'affiche.

2 Cliquez **Graver les fichiers sur un disque**.

Si vous disposez d'un graveur de CD et/ou de DVD, vous pouvez copier les fichiers et les dossiers de votre disque dur sur un CD ou un DVD enregistrables. Cela permet de transporter ou d'archiver une quantité importante de données sur un support unique et peu encombrant.

Pour copier des fichiers musicaux sur un CD, consultez la section « Gravez des fichiers audio sur un CD » au chapitre 5.

Si vous n'avez jamais gravé de fichiers sur ce disque, la boîte de dialogue Graver un disque s'affiche.

③ Saisissez le titre du disque.

④ Cliquez **Comme un lecteur flash USB** (◎ devient ◉).

⑤ Cliquez **Suivant**.

GRAVEZ DES FICHIERS SUR UN CD OU UN DVD (SUITE)

Windows 7 formate le disque et affiche une boîte de dialogue avec la progression.

Une fois le formatage terminé, la boîte de dialogue Exécution automatique apparaît.

⑥ Cliquez **Fermer** (☒).

Avec Windows 7, le type de CD ou de DVD n'a pas d'importance. Les CD-R et DVD-R ne peuvent généralement être gravés qu'une seule fois. Une fois finalisé, le disque se verrouille et il devient impossible de copier d'autres fichiers ou d'en supprimer. Toutefois, Windows 7 utilise un nouveau système qui permet de copier, recopier et supprimer des fichiers avec tous les types de disques enregistrables.

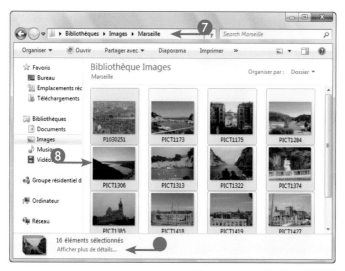

⑦ Ouvrez le dossier contenant les fichiers à copier.

⑧ Sélectionnez les fichiers.

● Si vous avez sélectionné plus de 15 fichiers et que vous vouliez connaître la taille totale de la sélection, cliquez **Afficher plus de détails**.

● GRAVEZ DES FICHIERS SUR UN CD OU UN DVD (SUITE)

● Si vous avez cliqué **Afficher plus de détails**, le paramètre Taille indique la taille totale des fichiers sélectionnés.

⑨ Cliquez **Graver**.

Note. *Pour graver tout le contenu d'un dossier, ne sélectionnez aucun fichier ou dossier et cliquez* **Graver***.*

La méthode employée par Windows 7 pour graver des fichiers ne nécessite qu'un seul formatage préalable du CD ou du DVD. Cela fait, vous pouvez ajouter des fichiers au support autant de fois que nécessaire.

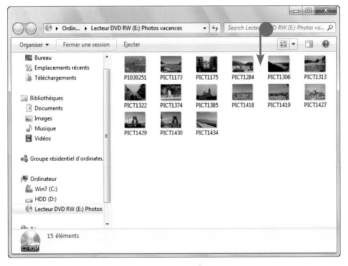

Windows 7 grave les fichiers sur le disque.

● Windows 7 ouvre le disque et affiche les fichiers copiés.

⑩ Répétez les étapes **7** à **9** pour graver d'autres fichiers.

GRAVEZ DES FICHIERS SUR UN CD OU UN DVD (SUITE)

⓫ Ouvrez le dossier du disque.

⓬ Cliquez **Fermer une session**.

● Ce message apparaît lors de la fermeture du CD.

Pour effacer un CD-RW ou un DVD-RW, cliquez Démarrer ➔ Ordinateur. Cliquez du bouton droit l'icône du disque, puis Formater. Dans la boîte de dialogue Formater, tapez si vous le souhaitez le nouveau nom du disque. Cliquez Démarrer. Windows 7 vous informe que toutes les données du disque seront effacées.

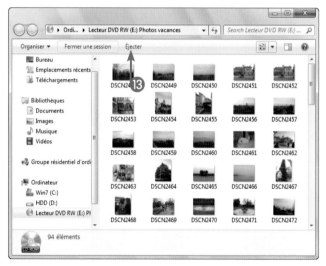

⓭ Une fois le message disparu, cliquez **Éjecter**.

Le disque est éjecté.

RENOMMEZ UN FICHIER

RENOMMEZ UN FICHIER

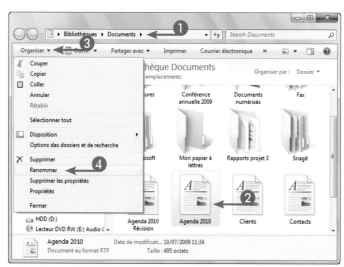

① Ouvrez le dossier contenant le fichier à renommer.

② Cliquez le fichier.

③ Cliquez **Organiser**.

Note. La même méthode s'applique pour renommer un dossier.

④ Cliquez **Renommer**.

Un cadre apparaît autour du nom du fichier.

Note. Vous pouvez aussi appuyer sur `F2`.

Si le nom d'un fichier n'est pas assez explicite, vous pouvez le changer et faciliter ainsi son identification ultérieure.

Évitez de renommer les fichiers système de Windows 7, ou ceux associés à vos programmes. Cela pourrait altérer le comportement de ces derniers et endommager votre système. Renommez uniquement les fichiers que vous créez vous-même ou ceux transmis par un tiers.

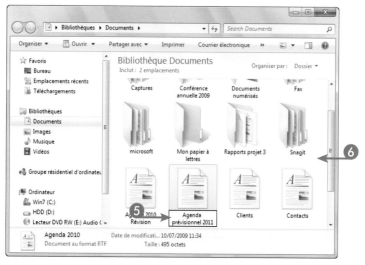

5 Tapez le nouveau nom du fichier.

Note. *Il peut contenir jusqu'à 255 caractères, à l'exception de < >, ? : " \ et *.*

Note. *Vous pouvez encore annuler l'opération en appuyant sur* Echap.

6 Appuyez sur Entrée ou cliquez une zone vide du dossier.

Le nouveau nom apparaît sous l'icône du fichier.

SUPPRIMEZ UN FICHIER

SUPPRIMEZ UN FICHIER

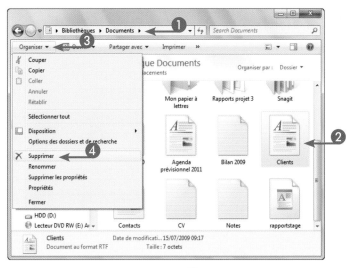

① Ouvrez le dossier contenant le fichier à supprimer.

② Cliquez le fichier à supprimer.

Note. *Pour supprimer plusieurs fichiers, sélectionnez-les.*

③ Cliquez **Organiser**.

④ Cliquez **Supprimer**.

Note. *Vous pouvez aussi appuyer sur* Suppr.

Plutôt que d'encombrer inutilement votre disque dur avec des fichiers qui ne servent plus, supprimez-les. De la même manière, vous pouvez supprimer un dossier et tout son contenu.

Évitez de supprimer les fichiers système de Windows 7, ou ceux associés à vos programmes. Cela pourrait altérer le comportement des programmes et endommager votre système. Supprimez uniquement les fichiers que vous créez vous-même ou ceux transmis par un tiers.

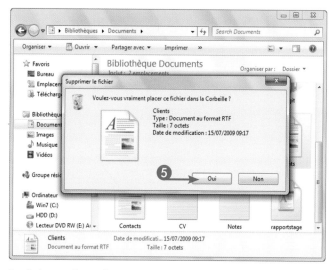

La boîte de dialogue Supprimer le fichier s'affiche.

⑤ Cliquez **Oui**.

Le fichier disparaît du dossier.

Note. Pour supprimer un fichier, vous pouvez aussi le faire glisser de la fenêtre du dossier vers l'icône de la Corbeille, sur le Bureau.

RESTAUREZ UN FICHIER SUPPRIMÉ

① Double-cliquez l'icône de la **Corbeille**, sur le Bureau.

Si vous supprimez un fichier par erreur, Windows 7 offre la possibilité de le récupérer et de le replacer dans son dossier d'origine.

Windows conserve les fichiers supprimés dans un dossier spécial, la Corbeille, durant plusieurs jours ou plusieurs semaines. Cela dépend de la fréquence à laquelle vous videz la Corbeille et de son degré de remplissage.

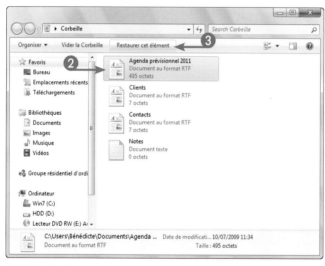

La fenêtre Corbeille s'ouvre.

② Cliquez le fichier à restaurer.

③ Cliquez **Restaurer cet élément**.

Le fichier disparaît de la Corbeille et réintègre son dossier d'origine.

RECHERCHEZ UN FICHIER

RECHERCHEZ UN FICHIER

DEPUIS LE MENU DÉMARRER

❶ Cliquez **Démarrer**.

❷ Cliquez dans la zone de recherche.

Au bout d'un certain temps d'utilisation, votre ordinateur peut contenir un nombre si important de fichiers qu'il devient difficile d'en localiser un en particulier. La fonction de recherche de Windows 7 peut alors vous faire gagner un temps précieux.

Vous pouvez lancer une recherche depuis le menu Démarrer ou dans la fenêtre d'un dossier.

③ Tapez le texte recherché.

● Windows 7 affiche au fur et à mesure les documents, les programmes et autres éléments dont le nom, le contenu ou les mots-clés correspondent.

④ Si le fichier recherché apparaît, cliquez son nom pour l'ouvrir.

185

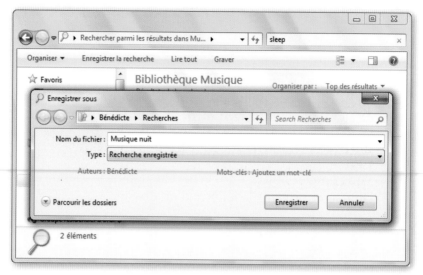

RECHERCHEZ UN FICHIER (SUITE)

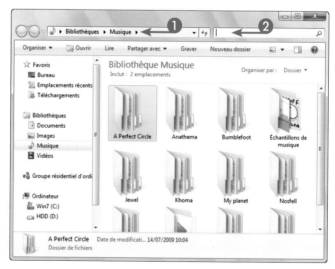

DANS LA FENÊTRE D'UN DOSSIER

❶ Ouvrez le dossier à inspecter.

❷ Cliquez dans la zone de recherche.

Si vous devez répéter fréquemment la même recherche, gagnez du temps en l'enregistrant. Pour ce faire, effectuez votre première recherche. Cliquez Enregistrer la recherche. Dans la boîte de dialogue Enregistrer sous, tapez le nom de la recherche et cliquez Enregistrer.

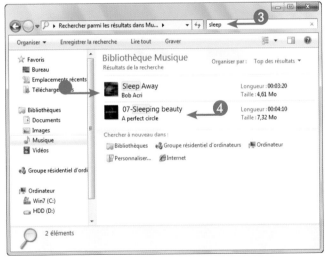

③ Tapez le texte recherché.

● Windows 7 affiche au fur et à mesure les fichiers et les sous-dossiers dont le nom, le contenu ou les mots-clés correspondent.

④ Si le sous-dossier ou le fichier recherché apparaît, double-cliquez-le pour l'ouvrir.

AFFICHEZ LES COMPTES D'UTILISATEURS

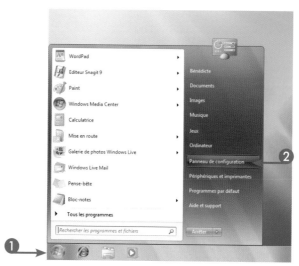

① Cliquez **Démarrer**.

② Cliquez **Panneau de configuration**.

La fenêtre Gérer les comptes centralise toutes les tâches liées à la gestion des comptes d'utilisateurs : leur création, leur modification et leur suppression.

Un *compte d'utilisateur* rassemble les dossiers et les paramètres propres à un utilisateur.

Le Panneau de configuration s'affiche.

3 Cliquez **Ajouter ou supprimer des comptes d'utilisateurs**.

*Note. Si la boîte de dialogue Contrôle de compte d'utilisateur apparaît, cliquez **Continuer** ou tapez le mot de passe d'un compte d'administrateur et cliquez **OK**.*

AFFICHEZ LES COMPTES D'UTILISATEURS (SUITE)

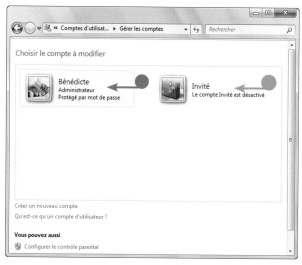

La fenêtre Gérer les comptes s'ouvre.

● Le compte créé lors de l'installation de Windows 7 est de type Administrateur.

● Le compte Invité, créé aussi lors de l'installation de Windows 7, donne à un utilisateur qui ne possède pas son propre compte un accès limité à l'ordinateur. Il est désactivé par défaut. Pour l'activer, cliquez **Invité** puis **Activer**.

Sans les comptes d'utilisateurs, toute personne accédant à l'ordinateur pourrait voir et même modifier vos documents, vos paramètres et vos favoris Internet.

Grâce aux comptes d'utilisateurs, chacun dispose de ses propres bibliothèques (Documents, Images, Musique, *etc.*), de ses réglages personnalisés, de ses comptes de messagerie électronique et de ses favoris. Pour simplifier, chaque utilisateur possède sa propre version de Windows 7, sans interférence avec celle d'un autre. En outre, les comptes d'utilisateurs vous permettent de partager des documents et des dossiers entre utilisateurs et membres de votre réseau, en toute sécurité.

④ Cliquez ⊠ pour fermer la fenêtre **Gérer les comptes** une fois la gestion des comptes terminée.

191

CRÉEZ UN COMPTE D'UTILISATEUR

CRÉEZ UN COMPTE D'UTILISATEUR

① Ouvrez la fenêtre **Gérer les comptes**.

Note. *Lisez la section « Affichez les comptes d'utilisateurs » pour accéder à la fenêtre Gérer les comptes.*

② Cliquez **Créer un nouveau compte**.

Si vous partagez votre ordinateur avec d'autres utilisateurs, créez un compte pour chacun d'eux. Vous pouvez en outre les protéger avec un mot de passe.

Seul un administrateur peut créer un nouveau compte d'utilisateur.

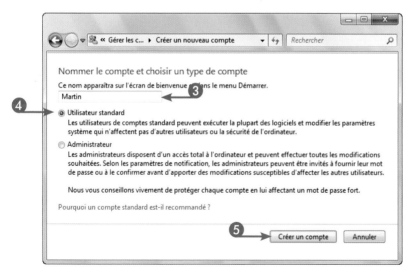

La fenêtre Créer un nouveau compte s'ouvre.

3 Tapez le nom du compte d'utilisateur.

4 Cliquez le type de compte d'utilisateur à créer (⊙ devient ◉).

Note. *La différence entre les deux types de comptes est expliquée à la page suivante.*

5 Cliquez **Créer un compte**.

Le nouveau compte apparaît dans la fenêtre Gérer les comptes.

193

CRÉEZ UN COMPTE D'UTILISATEUR

CRÉEZ UN COMPTE D'UTILISATEUR (SUITE)

① Cliquez le compte d'utilisateur.

La fenêtre Modifier un compte s'ouvre.

② Cliquez **Créer un mot de passe**.

Le type de compte (Administrateur ou Utilisateur standard) détermine ce qu'un utilisateur est autorisé à faire sur l'ordinateur. Un administrateur bénéficie d'un accès illimité à l'ordinateur, y compris aux documents d'autres utilisateurs. Il peut installer des programmes, des périphériques et ajouter, modifier ou supprimer des comptes d'utilisateurs. Un utilisateur standard ne dispose que d'un accès partiel à l'ordinateur. Il ne peut ouvrir que ses propres documents ou ceux que les autres utilisateurs ont décidé de partager. Il ne peut modifier que ses réglages personnels et certains paramètres de son propre compte d'utilisateur (son mot de passe et son image, par exemple).

La fenêtre Créer un mot de passe apparaît.

③ Tapez le mot de passe.

● Les caractères du mot de passe sont masqués.

④ Tapez à nouveau le mot de passe.

⑤ Tapez une indication pour vous souvenir du mot de passe.

⑥ Cliquez **Créer un mot de passe**.

Le compte est protégé par le mot de passe.

CHANGEZ D'UTILISATEUR

① Cliquez **Démarrer**.

● Le nom et l'image du compte en cours d'utilisation apparaissent en haut du menu Démarrer.

② Cliquez la flèche à droite du bouton **Arrêter** (▶).

③ Cliquez **Changer d'utilisateur**.

Lorsqu'il existe plusieurs comptes d'utilisateurs sur votre ordinateur, vous pouvez basculer de l'un à l'autre. Vous avez ainsi la possibilité de céder temporairement la place à un autre utilisateur, alors que vous vous servez déjà de l'ordinateur.

Lorsque l'autre utilisateur a fini de se servir de l'ordinateur, vous retrouvez vos programmes et fenêtres ouverts tels que vous les avez laissés. Vous pouvez ainsi poursuivre tout simplement votre travail.

L'écran de bienvenue apparaît.

④ Cliquez le compte d'utilisateur sur lequel vous souhaitez basculer.

197

CHANGEZ D'UTILISATEUR (SUITE)

⬤ Si le compte d'utilisateur est protégé par un mot de passe, une zone de saisie apparaît.

Note. *Consultez la section « Protégez un compte d'utilisateur par un mot de passe » au chapitre 11.*

⑤ Tapez le mot de passe.

⑥ Cliquez 🔄.

orsque vous créez votre mot de passe, Windows 7 demande également de fournir une indication de mot de passe pour vous aider à vous en souvenir. Si vous l'oubliez, cliquez ⊙. Windows vous informe que le mot de passe est incorrect. Cliquez OK. L'indice apparaît alors sous la zone de saisie du mot de passe.

7 Cliquez **Démarrer**.

● Le nom et l'image du deuxième compte d'utilisateur apparaissent en haut du menu Démarrer.

MODIFIEZ LE NOM D'UN UTILISATEUR

1 Ouvrez la fenêtre **Gérer les comptes**.

Note. *Lisez la section « Affichez les comptes d'utilisateurs » pour accéder à la fenêtre Gérer les comptes.*

2 Cliquez le compte d'utilisateur à modifier.

Libre à vous de changer à tout moment le nom d'un compte d'utilisateur qui ne convient plus.

Le nouveau nom du compte apparaît dans le menu Démarrer, dans la fenêtre Gérer les comptes et dans l'écran de bienvenue de Windows 7.

La fenêtre Modifier un compte s'ouvre.

③ Cliquez **Modifier le nom du compte**.

MODIFIEZ LE NOM D'UN UTILISATEUR

MODIFIEZ LE NOM D'UN UTILISATEUR (SUITE)

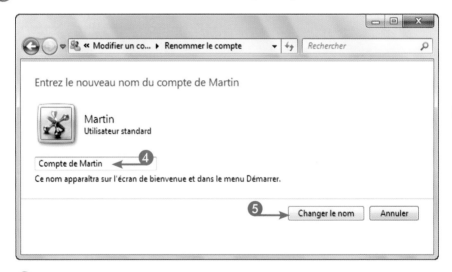

④ Tapez le nouveau nom.

⑤ Cliquez **Changer le nom**.

a création d'un nom d'utilisateur suit certaines
règles. Le nom ne doit pas dépasser 20 caractères ni
comporter les caractères , < > / ? ; : " [ ] \ | = + *. Il doit
en outre être différent du nom de l'ordinateur. Pour
connaître ce dernier, cliquez Démarrer ➜ Panneau de
configuration ➜ Système et sécurité ➜ Afficher le nom
de cet ordinateur. Le nom de l'ordinateur apparaît dans
le champ Nom de l'ordinateur de la fenêtre Système.

● Le nouveau nom apparaît dans
la fenêtre Modifier le compte.

⑥ Cliquez **Gérer un autre compte**
pour revenir à la fenêtre du même
nom.

MODIFIEZ L'IMAGE D'UN UTILISATEUR

1 Ouvrez la fenêtre **Gérer les comptes**.

Note. *Lisez la section « Affichez les comptes d'utilisateurs » pour accéder à la fenêtre Gérer les comptes.*

2 Cliquez le compte d'utilisateur à modifier.

ors de la création d'un compte d'utilisateur, Windows 7 lui attribue une image dans la fenêtre Gérer les comptes, l'écran de bienvenue et le menu Démarrer. Vous pouvez remplacer cette image par une autre, selon vos préférences.

La fenêtre Modifier un compte s'ouvre.

③ Cliquez **Modifier l'image**.

MODIFIEZ L'IMAGE D'UN UTILISATEUR (SUITE)

La fenêtre Choisir une image s'affiche.

④ Cliquez l'image de votre choix.

⑤ Cliquez **Modifier l'image**.

Pour utiliser d'autres images que celles proposées par Windows 7, suivez les étapes 1 à 3 de cette section. Cliquez Rechercher d'autres images. Dans la boîte de dialogue Ouvrir, ouvrez le dossier contenant l'image à utiliser, cliquez-la, puis cliquez Ouvrir.

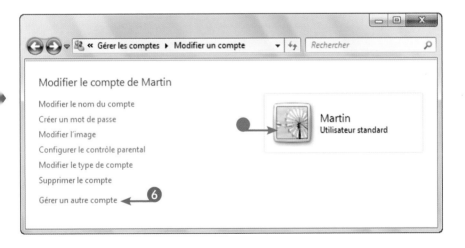

● La nouvelle image apparaît dans la fenêtre de l'utilisateur.

⑥ Cliquez **Gérer un autre compte** pour revenir à la fenêtre du même nom.

● SUPPRIMEZ UN COMPTE D'UTILISATEUR

① Ouvrez la fenêtre **Gérer les comptes**.

Note. *Lisez la section « Affichez les comptes d'utilisateurs » pour accéder à la fenêtre Gérer les comptes.*

② Cliquez le compte à supprimer.

Il vaut mieux supprimer un compte d'utilisateur devenu inutile. Cela réduit le nombre d'éléments dans la fenêtre Gérer les comptes et dans l'écran de bienvenue. En outre, cela libère de l'espace sur le disque dur.

La fenêtre Modifier un compte s'ouvre.

③ Cliquez **Supprimer le compte**.

SUPPRIMEZ UN COMPTE D'UTILISATEUR

● SUPPRIMEZ UN COMPTE D'UTILISATEUR (SUITE)

Voulez-vous conserver les fichiers de Pierre ?

Avant de supprimer le compte de Pierre, Windows peut enregistrer automatiquement le contenu du Bureau et des dossiers Documents, Favoris, Musique, Images et Vidéos de Pierre dans un nouveau dossier nommé 'Pierre' sur votre Bureau. Cependant, Windows ne peut pas enregistrer les messages électroniques de Pierre ainsi que ses autres paramètres.

④ → Supprimer les fichiers   Conserver les fichiers   Annuler

La fenêtre Supprimer le compte
s'ouvre.

④ Cliquez **Conserver les fichiers**
ou **Supprimer les fichiers** selon
ce que vous désirez faire.

Si votre compte est le seul de type Administrateur sur votre ordinateur, Windows 7 interdit sa suppression. Pour fonctionner sur l'ordinateur, Windows 7 nécessite au moins un compte d'administrateur.

L'option Conserver les fichiers archive les fichiers personnels de l'utilisateur (entre autres les fichiers placés sur le Bureau, le contenu des dossiers Documents et Images). Ces fichiers sont placés sur votre Bureau, dans un dossier portant le nom du compte supprimé. Tous les autres éléments personnels (paramètres, comptes, messages électroniques et favoris Internet Explorer) sont supprimés. L'option Supprimer les fichiers ne conserve aucun fichier personnel ni paramètre du compte d'utilisateur supprimé.

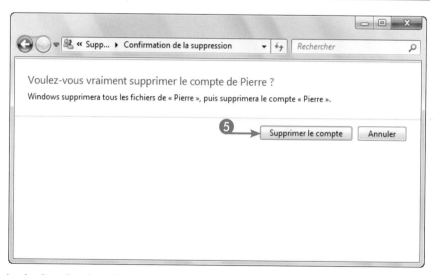

La fenêtre Confirmation de la suppression s'ouvre.

5 Cliquez **Supprimer le compte**.

Le compte est supprimé.

COMMENCEZ LA CONFIGURATION D'UNE CONNEXION

● COMMENCEZ LA CONFIGURATION D'UNE CONNEXION

Non connecté

Aucune connexion n'est disponible
Résoudre les problèmes

2 ──► Ouvrir le Centre Réseau et partage

17:52
17/07/2009

① Cliquez l'icône **Réseau**
(ou).

② Cliquez **Ouvrir le Centre Réseau et partage**.

'outil **Se connecter à Internet** de Windows 7 vous guide pas à pas dans la création d'une nouvelle connexion à Internet.

Le début de la procédure est identique quel que soit le type de connexion à configurer : bas débit, haut débit ou sans fil. Les trois sections suivantes traitent individuellement chaque type de connexion.

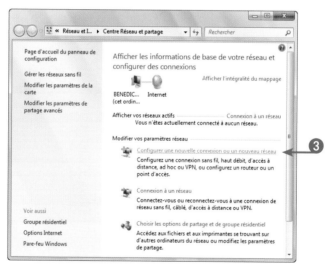

La fenêtre Centre Réseau et partage s'affiche.

③ Cliquez **Configurer une nouvelle connexion ou un nouveau réseau**.

L e type de connexion à choisir dépend du matériel de connexion dont vous disposez, de l'abonnement souscrit auprès de votre FAI (fournisseur d'accès Internet) et de l'appartenance ou non de votre ordinateur à un réseau. Pour une connexion à accès distant, il vous faut un modem RTC (réseau téléphonique commuté) et l'abonnement Internet adapté. Pour une connexion haut débit, il vous faut un abonnement ADSL ou au câble, et le modem adéquat. Enfin, pour une connexion sans fil, votre ordinateur doit être équipé d'un adaptateur et vous devez disposer d'une borne d'accès sans fil.

COMMENCEZ LA CONFIGURATION D'UNE CONNEXION (SUITE)

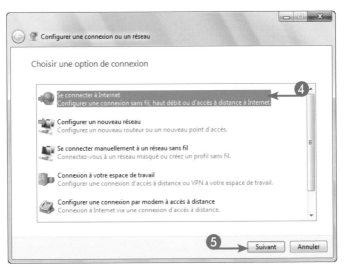

La fenêtre Choisir une option de connexion apparaît.

④ Cliquez **Se connecter à Internet**.

⑤ Cliquez **Suivant**.

Si votre ordinateur appartient à un réseau disposant d'un accès à Internet, Windows 7 le détecte et configure automatiquement la connexion. Pour vous en assurer, cliquez l'icône Réseau (▣) et recherchez la mention « Accès : Réseau local et Internet » dans l'info-bulle.

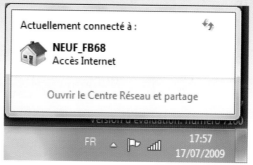

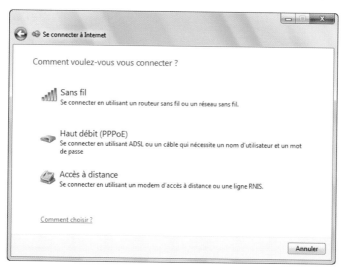

L'écran Comment voulez-vous vous connecter ? s'ouvre dans la boîte de dialogue Se connecter à Internet.

Note. Les trois sections suivantes détaillent les trois types de connexion possibles.

215

CRÉEZ UNE CONNEXION SANS FIL

① Dans l'écran Comment voulez-vous vous connecter ?, cliquez **Sans fil**.

Si votre entreprise ou votre domicile dispose d'une borne d'accès sans fil (routeur ou passerelle Wi-Fi), vous pouvez accéder à Internet par ce biais.

Les réseaux sans fil sont en général protégés par une clé ou un mot de passe. Vous devez en disposer avant de tenter toute connexion.

② Cliquez votre réseau sans fil.

③ Cliquez **Connecter**.

Note. *Si le réseau est protégé par une clé ou un mot de passe, saisissez-le à l'invite, puis cliquez* **OK**.

● Pour vérifier l'état de l'accès à Internet, cliquez l'icône **Réseau** (![icône]) dans la zone de notification.

CRÉEZ UNE CONNEXION HAUT DÉBIT

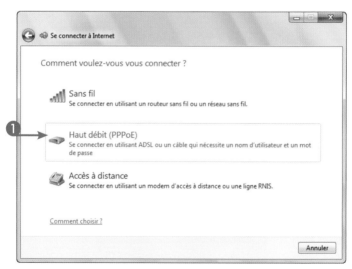

① Dans l'écran Comment voulez-
vous vous connecter ?, cliquez
Haut débit (PPPoE).

Si vous disposez d'un accès Internet haut débit, par le câble ou l'ADSL par exemple, configurez Windows 7 pour profiter de cette connexion.

Votre FAI fournit le modem haut débit ainsi que le nom d'utilisateur et le mot de passe pour la connexion Internet.

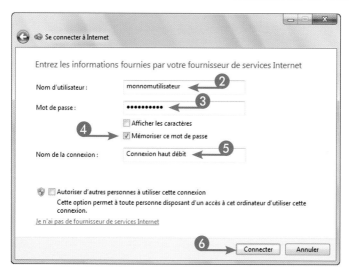

L'écran Entrez les informations fournies par votre fournisseur de services Internet apparaît.

② Tapez votre nom d'utilisateur.

③ Tapez votre mot de passe.

④ Pour ne pas taper le nom d'utilisateur et le mot de passe à chaque connexion, cochez **Mémoriser ce mot de passe**.

⑤ Personnalisez le nom de la connexion, si nécessaire.

Note. *Si d'autres comptes d'utilisateurs sont configurés sur l'ordinateur, cliquez **Autoriser d'autres personnes à utiliser cette connexion** (devient).*

⑥ Cliquez **Connecter**.

219

CRÉEZ UNE CONNEXION À ACCÈS DISTANT

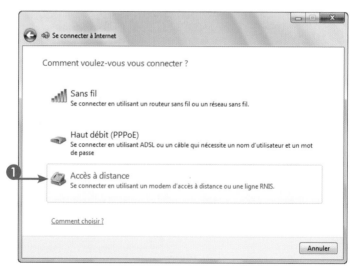

① Dans l'écran Comment voulez-vous vous connecter ?, cliquez **Accès à distance**.

Si vous vous connectez à Internet *via* le réseau téléphonique traditionnel, à l'aide d'un modem RTC (réseau téléphonique commuté), configurez une connexion Internet à accès distant dans Windows 7. Lors de votre abonnement, votre FAI vous communique les trois informations indispensables pour configurer votre connexion Internet : votre nom d'utilisateur, votre mot de passe et le numéro de téléphone que le modem doit composer pour établir la connexion Internet.

Si vous utilisez un modem externe, raccordez-le à votre ordinateur et allumez-le avant de créer la connexion.

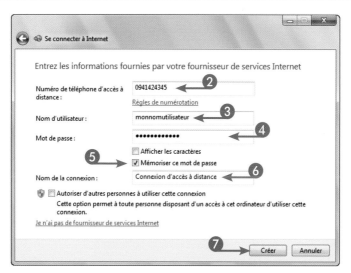

L'écran Entrez les informations fournies par votre fournisseur de services Internet apparaît.

2 Tapez le numéro de téléphone de connexion.

3 Tapez votre nom d'utilisateur.

4 Tapez votre mot de passe.

5 Pour ne pas taper le nom d'utilisateur et le mot de passe à chaque connexion, cochez **Mémoriser ce mot de passe** (☐ devient ☑).

6 Personnalisez le nom de la connexion, si nécessaire.

7 Cliquez **Créer**.

221

CONNECTEZ-VOUS À INTERNET

① Cliquez l'icône **Réseau** (🖳 ou 📶).

② Cliquez votre connexion Internet.

③ Cliquez **Connecter**.

Votre accès à Internet configuré, vous pouvez maintenant vous connecter.

Windows 7 établit la connexion à Internet.

DÉCONNECTEZ-VOUS D'INTERNET

1 Cliquez l'icône **Réseau**
(🖳 ou 📶).

2 Cliquez votre connexion
Internet.

Votre session Internet terminée, déconnectez-vous afin de ne pas gaspiller votre temps de connexion.

Si vous avez souscrit un abonnement illimité ou disposez d'une connexion haut débit, vous restez normalement connecté en permanence.

③ Cliquez **Déconnecter**.

Windows 7 ferme la connexion à Internet.

Le Web organise une masse d'informations stockées sur des ordinateurs, ou *serveurs Web*, répartis dans le monde entier.

PAGE WEB

Sur le Web, les informations se présentent sous la forme de pages que vous consultez sur votre ordinateur grâce à un navigateur Web comme Internet Explorer. Les pages peuvent contenir du texte, des images, du son, de la musique et même de la vidéo. Le Web est composé de milliards de pages traitant tous les sujets possibles et imaginables.

SITE WEB

Un site Web rassemble des pages créées par ou se rapportant à une personne, une entreprise, un gouvernement, une institution ou toute autre organisation. Les sites Web sont hébergés sur des ordinateurs (serveurs Web) spécialement configurés pour mettre les pages Web à la disposition du public.

ADRESSE WEB

Chaque page Web possède une adresse Web unique, appelée aussi URL (*Uniform Ressource Locator*). Si vous connaissez l'adresse d'une page Web, il suffit, pour ouvrir la page, de saisir cette adresse dans un navigateur Web.

LIENS

Appelé aussi *hyperlien*, le lien peut être considéré comme une sorte de référence dans une page Web qui renvoie vers une autre page. Il peut s'agir d'un texte (généralement souligné ou d'une couleur différente) ou d'une image qui, lorsque vous les cliquez, ouvrent une autre page dans le navigateur. La nouvelle page peut appartenir au même site ou à n'importe quel autre site Web.

OUVREZ INTERNET EXPLORER

① Connectez-vous à Internet.

② Cliquez **Internet Explorer**.

Note. Si l'icône d'Internet Explorer ne se trouve pas dans la barre des tâches, cliquez **Démarrer → Tous les programmes → Internet Explorer**.

Windows 7 intègre un navigateur Web, Internet Explorer, que vous pouvez ouvrir pour surfer sur le Web.

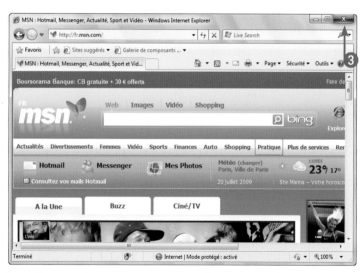

La fenêtre d'Internet Explorer s'affiche.

Note. *Si la boîte de dialogue Bienvenue dans Internet Explorer 8 apparaît, cliquez* **Suivant ➜ Utiliser la configuration rapide ➜ Terminer**.

③ Cliquez ☒ lorsque vous avez fini de naviguer sur le Web.

BARRE DE TITRE

Elle affiche le titre de la page Web qui apparaît dans la fenêtre d'Internet Explorer.

BARRE D'ADRESSE

L'adresse de la page Web affichée apparaît ici. Vous pouvez aussi y saisir l'adresse de la page Web à consulter.

LIENS

Les liens peuvent prendre la forme de textes ou d'images. Dans le premier cas, ils sont souvent, mais pas nécessairement, soulignés et d'une couleur différente (habituellement bleue) de celle du texte.

LIEN SÉLECTIONNÉ

Il s'agit du lien pointé par la souris. Le pointeur ⌖ devient 👆. Sur certaines pages, le lien peut alors être souligné et changer de couleur.

BARRE D'ÉTAT

Elle indique l'action en cours dans Internet Explorer. Elle affiche, par exemple, **Ouverture de la page** lorsqu'une page Web est en cours de téléchargement et **Terminé** lorsque la page est chargée. Lorsque vous sélectionnez un lien, l'adresse de la page associée apparaît dans la barre d'état.

Votre navigation sur le Web sera d'autant plus fructueuse si vous connaissez les éléments de la fenêtre d'Internet Explorer.

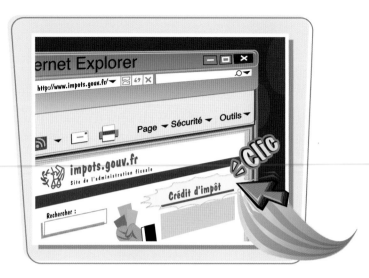

SÉLECTIONNEZ UN LIEN

① Pointez le lien ($\downarrow$ devient 🖑).

② Cliquez le texte ou l'image.

● L'état du téléchargement s'affiche dans la barre d'état.

Note. *L'adresse affichée lorsque vous pointez le lien peut être différente de celle qui apparaît au cours du téléchargement. Cela se produit lorsque le site Web « redirige » le lien, ce qui arrive fréquemment.*

Pratiquement toutes les pages Web contiennent des liens vers d'autres pages se rapportant aux mêmes sujets. Vous pouvez cliquer ces liens pour naviguer vers d'autres pages Web.

Identifier les liens dans une page n'est pas toujours facile. La seule méthode sûre consiste à pointer l'image ou le texte. Si le pointeur ⇖ devient 🖑, vous avez affaire à un lien.

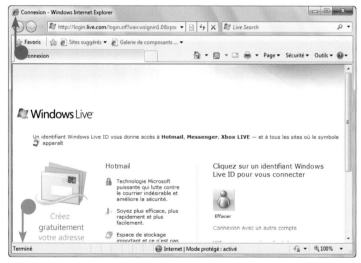

La page Web s'affiche.

⬤ Le titre et l'adresse de la page s'affichent.

⬤ La mention **Terminé** apparaît dans la barre d'état lorsque la page est complètement chargée.

SAISISSEZ L'ADRESSE D'UNE PAGE WEB

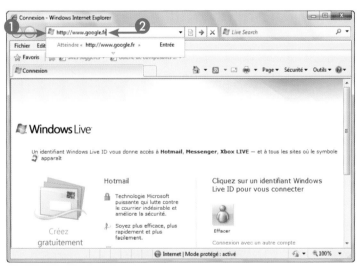

1 Cliquez dans la barre d'adresse.

2 Tapez l'adresse de la page Web.

Si vous connaissez l'adresse d'une page Web spécifique, vous pouvez la saisir dans le navigateur Web pour qu'il ouvre cette page.

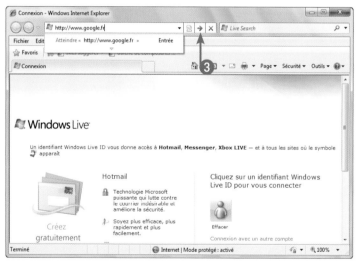

③ Cliquez ➡ ou appuyez sur **Entrée**.

Voici les raccourcis les plus utiles pour saisir une adresse Web :

● Appuyez sur **Entrée**, au lieu de cliquer [→], lorsque vous avez saisi l'adresse.

● La majorité des adresses Web commencent par *http://*. Vous pouvez omettre ces caractères lorsque vous tapez l'adresse. Internet Explorer les ajoute automatiquement.

● Pour une adresse de type *http://www.site.com,* tapez uniquement *site.* Appuyez ensuite sur **Ctrl** + **Entrée**. Internet Explorer ajoute automatiquement *http://www* au début, et *.com* à la fin.

SAISISSEZ L'ADRESSE D'UNE PAGE WEB (SUITE)

La page Web s'affiche.

● Le titre de la page Web s'affiche lorsqu'elle est chargée.

Le message « Page introuvable » qui apparaît parfois lorsque vous chargez une page signifie qu'Internet Explorer ne peut entrer en contact avec le serveur Web à l'adresse indiquée. Il s'agit en général d'un incident temporaire. Cliquez de nouveau ⟳ pour recharger la page. Si le problème persiste, vérifiez que vous avez correctement saisi l'adresse. Dans l'affirmative, le site est peut-être indisponible pour diverses raisons. Réessayez plus tard.

AFFICHEZ UNE PAGE WEB DÉJÀ VISITÉE

❶ Cliquez ▾ dans la barre d'adresse.

La liste d'adresses Web que vous avez saisies auparavant s'affiche.

❷ Cliquez l'adresse de la page à consulter.

La page Web s'affiche.

Note. *Lorsque vous tapez les premières lettres de l'adresse (**goog**, par exemple), une liste d'adresses commençant par ces lettres se déroule. Si l'adresse voulue apparaît, cliquez-la pour ouvrir la page.*

OUVREZ UNE PAGE WEB DANS UN ONGLET

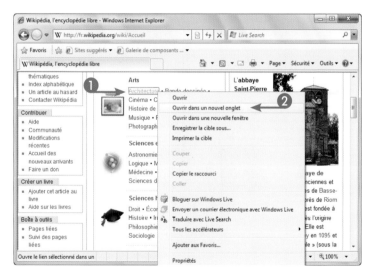

1 Cliquez du bouton droit le lien à ouvrir.

2 Cliquez **Ouvrir dans un nouvel onglet**.

nternet Explorer facilite la navigation en permettant
d'ouvrir plusieurs pages simultanément.

Ouvrez autant de pages que vous le souhaitez, chacune
dans son propre onglet. Cela permet d'accéder à toutes les
pages dans une seule fenêtre d'Internet Explorer.

● Un nouvel onglet apparaît, avec
le titre de la nouvelle page.

❸ Cliquez l'onglet pour afficher la
page.

RECULEZ D'UNE PAGE

① Cliquez ⬅.

La page précédente apparaît.

orsque vous avez consulté plusieurs pages, vous pouvez retourner à l'une d'elles. Au lieu de retaper l'adresse ou de rechercher le lien, employez les méthodes, plus pratiques, proposées par Internet Explorer.

Vous pouvez ainsi reculer et avancer dans la chronologie des pages déjà visitées.

RECULEZ DE PLUSIEURS PAGES

❶ Cliquez la flèche **Pages récentes** (🔽).

La liste des pages consultées apparaît.

● La page courante est cochée (✓).

● Les pages inscrites sous la page courante sont celles visitées avant cette dernière. Lorsque vous placez le pointeur ⬚ sur l'une de ces pages, ⬅ apparaît.

❷ Cliquez la page à afficher.

La page apparaît.

AVANCEZ D'UNE PAGE

① Cliquez 🔁.

La page qui suit celle en cours d'affichage dans la chronologie apparaît.

Note. *Si la page en cours est la dernière consultée depuis le lancement du navigateur, le bouton Suivant (🔁) est inactif.*

our avancer ou reculer d'une page tout en gardant à l'écran la page courante, ouvrez une deuxième fenêtre d'Internet Explorer. La page courante reste affichée dans la première fenêtre, tandis que la deuxième servira à naviguer d'une page à l'autre. Pour ce faire, appuyez sur **Ctrl** + **N**. Utilisez les techniques de cette section pour naviguer d'une page à l'autre.

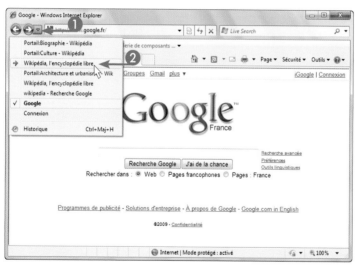

AVANCEZ DE PLUSIEURS PAGES

① Cliquez la flèche **Pages récentes** (▾).

La liste des pages consultées apparaît.

● Les pages inscrites au-dessus de la page courante sont celles visitées après cette dernière. Lorsque vous placez le pointeur sur l'une de ces pages, → apparaît.

② Cliquez la page à afficher.

La page apparaît.

243

CONSULTEZ L'HISTORIQUE DES PAGES VISITÉES

1. Cliquez le bouton **Favoris** (⭐).

2. Cliquez **Historique**.

Si les boutons ◀ et ▶ permettent d'afficher les pages déjà consultées durant la session en cours, c'est-à-dire le temps compris entre l'ouverture et la fermeture d'Internet Explorer, l'historique permet de revenir sur une page consultée plusieurs jours, voire plusieurs semaines auparavant.

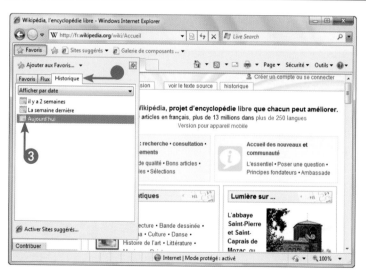

● L'historique s'affiche.

❸ Cliquez le jour ou la semaine où vous avez consulté la page.

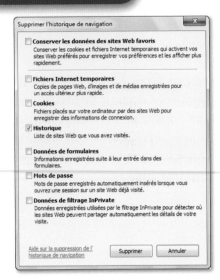

CONSULTEZ L'HISTORIQUE DES PAGES VISITÉES (SUITE)

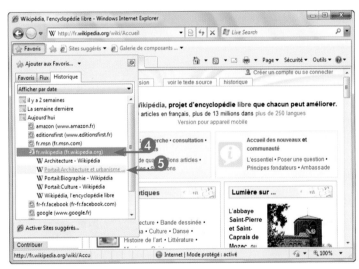

La liste des sites visités ce jour ou cette semaine apparaît.

④ Cliquez le site contenant la page recherchée.

La liste des pages consultées sur le site apparaît.

⑤ Cliquez la page à afficher.

Pour effacer l'historique, cliquez Sécurité →
Supprimer l'historique de navigation. Cochez
Historique (☐ devient ☑). Supprimez la coche des
éléments à ne pas effacer (☑ devient ☐). Cliquez
Supprimer. Internet Explorer supprime l'historique et
ferme la boîte de dialogue.

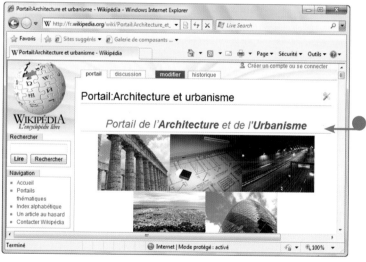

● La page apparaît.

ENREGISTREZ UNE PAGE WEB FAVORITE

① Affichez la page Web à enregistrer dans les Favoris.

② Cliquez le bouton **Favoris** (⭐).

③ Cliquez **Ajouter aux Favoris** (⭐).

Vous visitez sans doute souvent certaines pages Web en particulier. Pour gagner du temps, vous pouvez les enregistrer dans vos favoris afin de les ouvrir ensuite en deux clics.

Lorsqu'une page Web est enregistrée dans les Favoris, vous n'avez plus besoin de taper son adresse ou de la rechercher. Il suffit de la cliquer dans la liste des favoris pour l'ouvrir.

La boîte de dialogue Ajouter un favori s'affiche.

Note. *Vous pouvez aussi ouvrir la boîte de dialogue Ajouter un favori en appuyant sur* Ctrl + D.

④ Modifiez le nom de la page, si nécessaire.

⑤ Cliquez **Ajouter**.

ENREGISTREZ UNE PAGE WEB FAVORITE (SUITE)

AFFICHEZ UNE PAGE WEB
FAVORITE

① Cliquez le bouton **Favoris** (⭐).

② Cliquez **Favoris**.

La liste des favoris apparaît.

③ Cliquez la page Web à afficher.

Pour supprimer une page de la liste Favoris, cliquez le bouton Favoris (⬚), puis Favoris. Cliquez du bouton droit la page à supprimer. Cliquez Supprimer. À l'invite de confirmation, cliquez Oui.

La page Web s'affiche.

● Pour afficher en permanence la liste Favoris, cliquez **Favoris** (⬚), puis **Épingler le Centre des favoris** (⬚). Le Centre des favoris sera visible en permanence dans la partie gauche de la fenêtre d'Internet Explorer.

RECHERCHEZ UN SITE WEB

1 Cliquez dans la zone de recherche.

Si vous recherchez des informations sur un sujet précis, Internet Explorer intègre une fonction de recherche permettant de trouver des pages Web traitant du sujet.

Il existe sur le Web de nombreux moteurs de recherche. La fonction de recherche d'Internet Explorer utilise par défaut Bing, mais vous pouvez en choisir un autre.

② Tapez un mot, une expression ou une question décrivant l'information à rechercher.

③ Cliquez 🔎 ou appuyez sur **Entrée**.

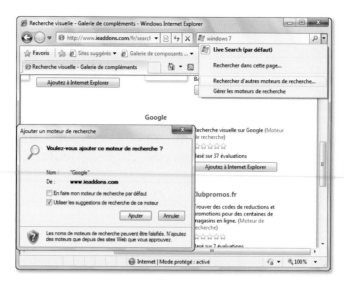

RECHERCHEZ UN SITE WEB (SUITE)

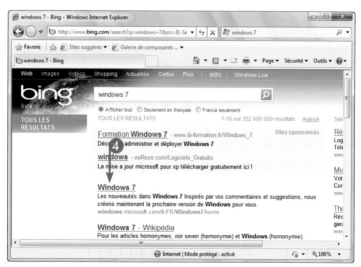

● La liste de pages répondant aux critères de la recherche apparaît.

④ Cliquez un lien.

Pour ajouter un autre moteur de recherche, cliquez ⊟ à droite de la zone de recherche. Cliquez Rechercher d'autres moteurs de recherche. Choisissez un moteur de recherche, puis cliquez Ajouter. Pour l'utiliser, cliquez ⊟ à droite de la zone de recherche, puis le nom du moteur de recherche.

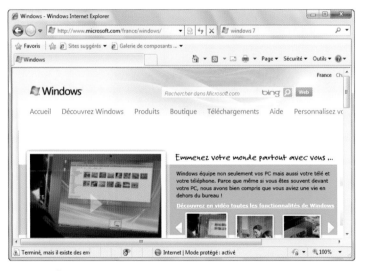

La page apparaît.

INSTALLEZ WINDOWS LIVE ESSENTIALS

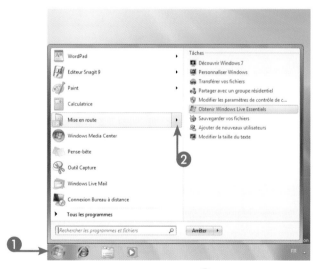

① Cliquez **Démarrer**.

② Cliquez la flèche **Mise en route** (▸).

③ Cliquez **Obtenir Windows Live Essentials**.

Windows Live Mail n'est pas installé par défaut sur Windows 7. Pour l'installer et l'utiliser, vous devez vous rendre sur le site Web Windows Live Essentials.

Le site Windows Live Essentials donne accès à d'autres programmes, tels la Galerie de photos Windows Live et Windows Live Movie Maker.

La page Web de Windows Live s'affiche.

④ Cliquez **Télécharger**.

INSTALLEZ WINDOWS LIVE ESSENTIALS

INSTALLEZ WINDOWS LIVE ESSENTIALS (SUITE)

La boîte de dialogue
Téléchargement de
fichers – Avertissement de sécurité
apparaît.

⑤ Cliquez **Exécuter**.

Note. Si la boîte de dialogue
Contrôle de compte d'utilisateur
s'affiche, tapez si nécessaire
un mot de passe d'un compte
d'administrateur et cliquez **Oui**.

⑥ Cliquez **Fermer** (🗙).

es programmes disponibles *via* le site Windows Live Essentials sont gratuits, y compris Windows Live Mail. Ils complètent Windows 7, mais ils n'y sont pas installés, car beaucoup d'utilisateurs préfèrent se servir d'autres programmes, comme Microsoft Outlook pour leur messagerie.

La boîte de dialogue Choisissez les programmes à installer s'affiche.

⑦ Cochez la case de chaque programme à installer (▢ devient ✅).

⑧ Cliquez **Installer**.

Windows 7 installe les programmes Windows Live Essentials sélectionnés.

CONFIGUREZ UN COMPTE DE MESSAGERIE

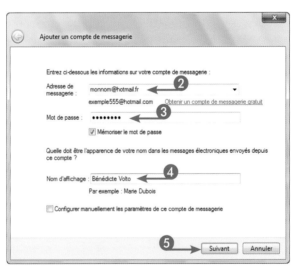

① Démarrez **Windows Live Mail**.

À la première utilisation du programme, l'assistant Ajouter un compte apparaît.

*Note. Pour configurer un deuxième compte de messagerie, dans le volet des dossiers, cliquez le lien **Ajouter un compte de messagerie**.*

② Tapez votre adresse de messagerie.

③ Tapez votre mot de passe.

④ Tapez votre nom.

⑤ Cliquez **Suivant**.

Avant de pouvoir envoyer un message électronique, vous devez configurer votre compte de messagerie, condition indispensable pour recevoir les messages qui sont envoyés sur votre compte.

Votre compte de messagerie est en général un compte POP (*Post Office Protocol*) fourni par votre FAI, lequel doit vous communiquer les données du compte POP.

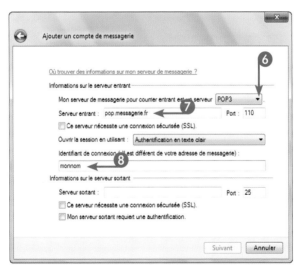

Note. *Si Windows Live Mail vous indique que le compte a été configuré avec succès, cliquez* **Terminer** *et passez les étapes suivantes.*

Windows Live Mail vous invite à saisir les informations sur le serveur de messagerie.

⑥ Cliquez 🔽, puis sélectionnez le type de compte de messagerie.

⑦ Tapez le nom du serveur de messagerie entrant de votre FAI.

⑧ Tapez l'identifiant de connexion du compte.

261

CONFIGUREZ UN COMPTE DE MESSAGERIE (SUITE)

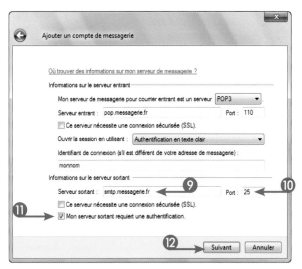

⑨ Tapez le nom du serveur de messagerie sortant de votre FAI.

⑩ Si votre FAI emploie un port différent pour la messagerie sortante, tapez le numéro du port.

⑪ Cochez cette case si le serveur de messagerie sortant nécessite une authentification (☐ devient ☑).

⑫ Cliquez **Suivant**.

Votre compte de messagerie configuré, Windows Live Mail l'ajoute au volet des dossiers, dans la partie gauche de la fenêtre. Pour le modifier, cliquez son nom du bouton droit, puis Propriétés. Apportez les modifications nécessaires dans les onglets de la boîte de dialogue.

La dernière boîte de dialogue s'affiche.

⓭ Cliquez **Terminer**.

Votre compte de messagerie est configuré.

ENVOYEZ UN MESSAGE

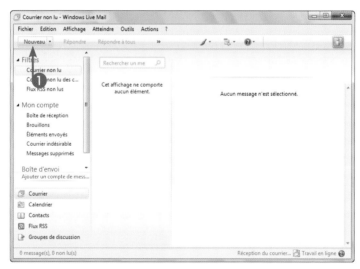

1 Cliquez **Nouveau**.

Vous pouvez envoyer un message à un correspondant dès lors que vous connaissez son adresse de messagerie. Votre message lui parvient dans les minutes qui suivent.

Si vous souhaitez vous entraîner à l'envoi de messages, mais ne possédez l'adresse d'aucun correspondant, envoyez les messages à votre propre adresse.

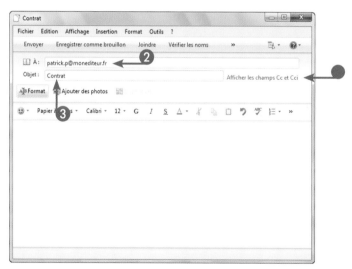

Une fenêtre de message s'affiche.

② Tapez l'adresse du destinataire.

Note. Vous pouvez saisir plusieurs adresses dans le champ À en les séparant par des points-virgules (;).

● Pour envoyer une copie du message à une autre personne, cliquez **Afficher les champs Cc et Cci**, puis tapez son adresse dans le champ **Cc**.

③ Décrivez brièvement l'objet de votre message.

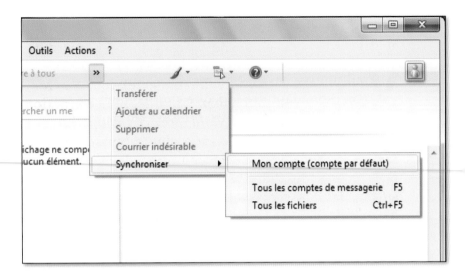

ENVOYEZ UN MESSAGE (SUITE)

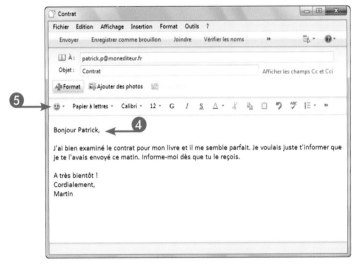

4 Rédigez votre message.

5 Servez-vous des boutons de la barre de mise en forme pour mettre le texte du message en forme.

Vous n'êtes pas obligé de rester connecté à Internet pendant la rédaction des messages, si vous êtes abonné à un forfait horaire. Déconnectez-vous, ouvrez Windows Live Mail et cliquez Travailler hors connexion dans la boîte de dialogue. Composez et envoyez les messages. Chaque fois que vous cliquez Envoyer, vos messages sont stockés temporairement dans le dossier Boîte d'envoi. Lorsque vous avez terminé, connectez-vous à Internet. Cliquez Travail hors connexion. La barre d'état affiche la mention Travail en ligne. Cliquez Synchroniser, puis votre compte de messagerie.

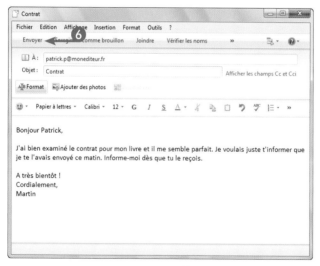

Note. Tous les logiciels de courrier électronique ne prennent pas en charge le texte mis en forme. Si vous ne savez pas quel programme votre correspondant utilise, et pour vous assurer qu'il pourra lire votre message, envoyez celui-ci sous forme de texte brut. Pour cela, cliquez **Format ➜ Texte brut**. Le bouton d'option ◉ apparaît devant la commande.

⑥ Cliquez **Envoyer**.

Windows Live Mail envoie le message.

Note. Une copie du message est conservée dans le dossier Éléments envoyés.

CRÉEZ UN NOUVEAU CONTACT

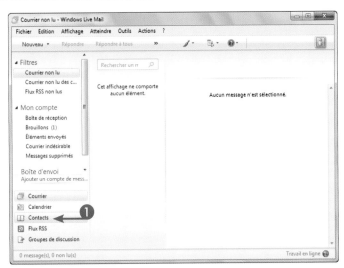

❶ Cliquez **Contacts** (▯).

Note. *Vous pouvez aussi ouvrir Contacts Windows Live en appuyant sur* Ctrl + Maj + C.

Windows stocke les noms et adresses électroniques de vos correspondants les plus fréquents dans votre dossier Contacts.

Sélectionnez un correspondant dans le dossier Contacts lors de la composition d'un message : Windows Live Mail ajoute automatiquement son adresse dans le champ À.

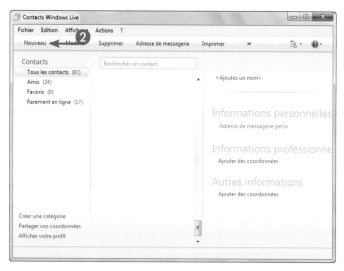

La fenêtre Contacts Windows Live s'affiche.

② Cliquez **Nouveau**.

CRÉEZ UN NOUVEAU CONTACT

● CRÉEZ UN NOUVEAU CONTACT (SUITE)

La boîte de dialogue Ajouter un contact s'affiche.

③ Tapez le prénom de votre correspondant.

④ Tapez son nom de famille.

⑤ Tapez son adresse de messagerie.

Note. *Les autres onglets permettent d'ajouter des informations complémentaires, comme ses coordonnées professionnelles ou privées, le nom de son conjoint et de ses enfants, etc.*

⑥ Cliquez **Ajouter aux contacts**.

Pour modifier les informations d'un contact, cliquez-le dans la fenêtre Contacts, puis cliquez Modifier dans la barre d'outils. Vous pouvez aussi double-cliquer son nom ou cliquer l'un des liens Ajouter des coordonnées de la section comportant les informations sur le contact. Apportez vos modifications dans la boîte de dialogue Modifier ce contact, puis cliquez Enregistrer.

Pour supprimer un contact, cliquez-le dans la fenêtre Contacts, puis cliquez Supprimer dans la barre d'outils. À l'invite de confirmation, cliquez OK.

● Le nouveau contact complète votre liste Contacts.

SÉLECTIONNEZ UN CONTACT

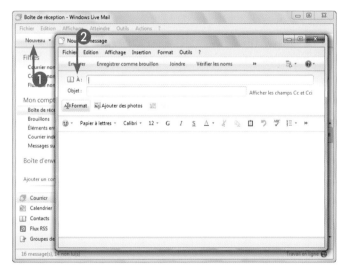

1 Dans Windows Live Mail, cliquez **Nouveau** pour créer un nouveau message.

2 Cliquez **À**.

Pour adresser rapidement un message, sans avoir à taper l'adresse de votre correspondant, sélectionnez ce dernier dans le dossier Contacts Windows Live.

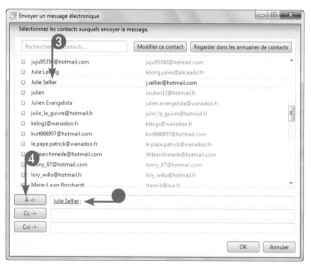

La boîte de dialogue Envoyer un message électronique s'ouvre.

③ Cliquez le destinataire du message.

④ Cliquez **À**.

● Le nom du contact apparaît dans la zone À.

⑤ Répétez les étapes **3** et **4** pour ajouter d'autres destinataires.

SÉLECTIONNEZ UN CONTACT (SUITE)

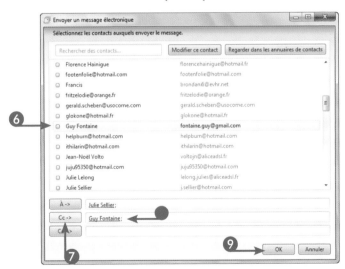

6 Pour envoyer une copie du message à un autre destinataire, cliquez son nom.

7 Cliquez **Cc**.

● Le nom du contact apparaît dans la zone des destinataires.

8 Répétez les étapes **6** et **7** pour ajouter d'autres destinataires à la zone Cc.

9 Cliquez **OK**.

Pour envoyer un message directement depuis Contacts Windows Live, cliquez le destinataire du message, puis le bouton Adresse de messagerie dans la barre d'outils. Contacts Windows Live crée un nouveau message et ajoute automatiquement le nom du contact dans le champ À.

Pour envoyer une copie d'un message à une personne dont les autres destinataires ne verront pas l'adresse, dans la boîte de dialogue Envoyer un message électronique, cliquez son nom, puis Cci. Pour masquer le champ Cci dans la fenêtre du message, cliquez Masquer Cc & Cci.

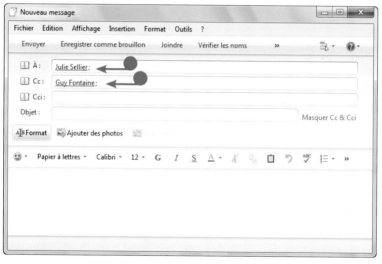

● Windows Live Mail insère les adresses des destinataires dans les champs À et Cc du nouveau message.

JOIGNEZ UN FICHIER À UN MESSAGE

À PARTIR D'UNE BOÎTE
DE DIALOGUE

1 Ouvrez une nouvelle fenêtre de message.

2 Cliquez **Joindre**.

Vous pouvez joindre à un message électronique une note de service, une image ou tout autre document à transmettre à un correspondant. Ce dernier accède au fichier dès réception de votre courrier.

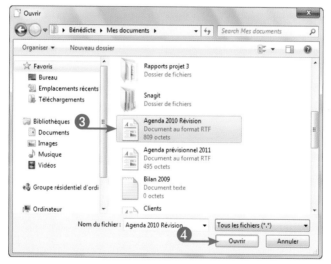

La boîte de dialogue Ouvrir s'affiche.

3 Cliquez le fichier à joindre au message.

4 Cliquez **Ouvrir**.

JOIGNEZ UN FICHIER À UN MESSAGE

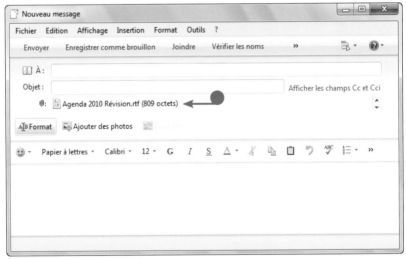

● Windows Live Mail joint le
fichier au message.

⑤ Répétez les étapes **2** à **4** pour
joindre d'autres fichiers.

En théorie, vous pouvez joindre à un message autant de fichiers que vous le souhaitez. Vous devez toutefois tenir compte de la taille globale des fichiers joints. Si votre connexion Internet ou celle de votre correspondant est lente, l'envoi ou la réception du message peut prendre beaucoup de temps. En outre, certains FAI limitent la taille des fichiers joints à environ 2 Mo, par exemple. En règle générale, évitez de joindre trop de fichiers à un message.

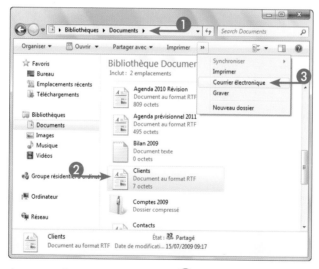

À PARTIR D'UNE FENÊTRE DE DOSSIER

① Ouvrez le dossier contenant le fichier à envoyer en pièce jointe.

② Cliquez le fichier.

③ Cliquez **Courrier électronique**.

Windows Live Mail crée un message et joint le fichier.

279

RECEVEZ LES MESSAGES

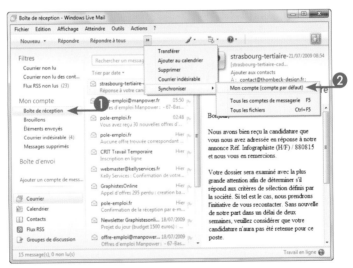

① Cliquez **Boîte de réception**.

② Pointez **Synchroniser**, puis cliquez votre compte.

Lorsqu'un correspondant vous envoie un message, ce dernier est stocké sur le serveur de messagerie électronique de votre FAI. Pour le télécharger sur votre ordinateur et le lire, vous devez vous connecter à ce serveur.

Au démarrage, Windows Live Mail vérifie automatiquement si vous avez de nouveaux messages. Il le refait ensuite toutes les 30 minutes, si vous êtes connecté à Internet.

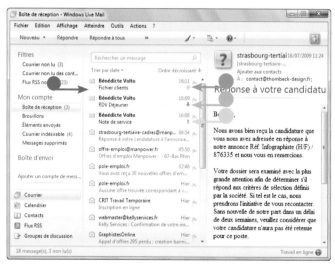

● Les nouveaux messages apparaissent en gras dans la boîte de réception.

● Un message contenant une pièce jointe est précédé de 🔘.

● Un message considéré comme non urgent par l'expéditeur est précédé de 🔽.

● Un message considéré comme urgent par l'expéditeur est précédé de ❗.

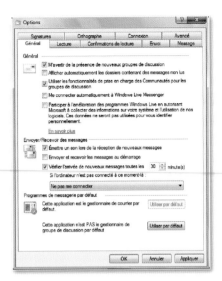

LISEZ UN MESSAGE

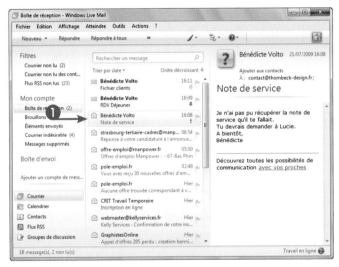

❶ Cliquez le message.

Pour changer la fréquence à laquelle Windows Live Mail vérifie la présence de nouveaux messages sur le serveur, cliquez Menus (🗐), puis Options. Dans la boîte de dialogue Options, sélectionnez l'onglet Général. Pour que Windows Live Mail ne télécharge pas le nouveau courrier à l'ouverture, décochez Envoyer et recevoir les messages au démarrage. Tapez la fréquence (en minutes) à laquelle Windows Live Mail doit vérifier automatiquement le courrier, puis cliquez OK.

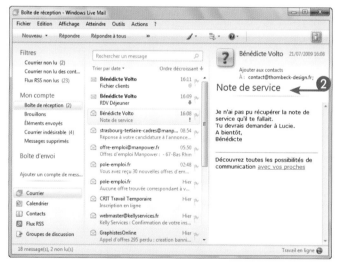

② Lisez le texte du message dans le volet de visualisation.

Note. *Double-cliquez le message pour l'ouvrir dans sa propre fenêtre.*

RÉPONDEZ À UN MESSAGE

RÉPONDEZ À UN MESSAGE

1 Cliquez le message auquel vous souhaitez répondre.

2 Selon les destinataires de la réponse :

Cliquez **Répondre** pour répondre uniquement à l'expéditeur du message.

Cliquez **Répondre à tous** pour envoyer aussi la réponse à tous les autres destinataires du message original.

Que vous souhaitiez répondre à une question, donner une information ou réagir à des propos, vous pouvez répondre à un message que vous recevez.

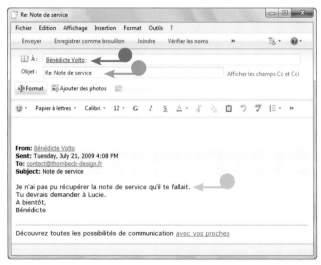

Une fenêtre de message s'affiche.

● Windows Live Mail insère automatiquement les adresses des destinataires.

● Windows Mail reprend l'objet du message original précédé de **Re:**.

● Le message original, en-tête inclus, apparaît dans le volet de rédaction.

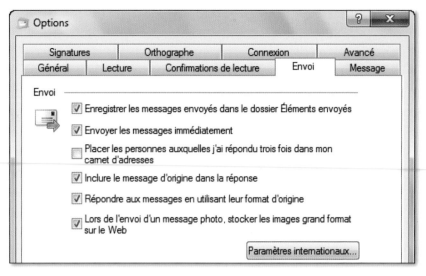

RÉPONDEZ À UN MESSAGE (SUITE)

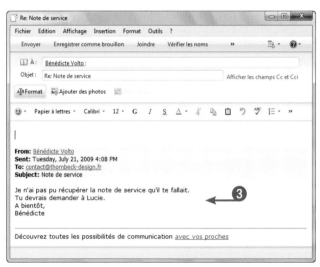

3 Modifiez le message original pour ne laisser que ce qui est pertinent.

Note. *Cela se révèle nécessaire si le message original est long. Vous pouvez effacer les parties sans rapport avec votre réponse afin d'en faciliter la lecture pour votre destinataire.*

À partir de la troisième réponse à un même destinataire, Windows Live Mail l'ajoute à votre dossier Contacts Windows Live. Pour désactiver cette fonctionnalité, cliquez Menus (📄), Options, puis sélectionnez l'onglet Envoi. Décochez Placer les personnes auxquelles j'ai répondu trois fois dans mon carnet d'adresses (☑ devient ☐). Cliquez OK.

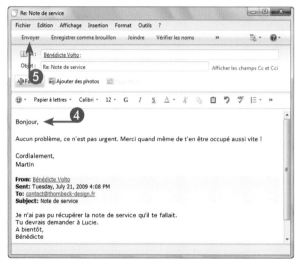

④ Cliquez au-dessus du message original et tapez votre texte.

⑤ Cliquez **Envoyer**.

Windows Live Mail envoie la réponse.

Note. Une copie du message est conservée dans le dossier Éléments envoyés.

OUVREZ UNE PIÈCE JOINTE

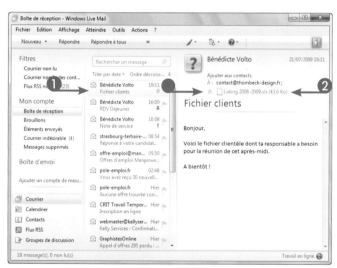

① Cliquez le message contenant la pièce jointe, signalée par l'icône ⎙.

● La liste des fichiers joints au message apparaît.

② Double-cliquez la pièce jointe à ouvrir.

Lorsque vous recevez un message contenant un fichier joint, vous pouvez ouvrir ce dernier pour en consulter le contenu. Vous pouvez aussi l'enregistrer pour le conserver sur votre ordinateur.

Attention : les pièces jointes peuvent contenir des virus. N'ouvrez ni les messages ni les pièces jointes provenant d'un expéditeur inconnu. Même si vous connaissez l'expéditeur, n'ouvrez une pièce jointe qui si vous savez effectivement ce dont il s'agit. Pensez aussi à protéger votre ordinateur avec un logiciel antivirus.

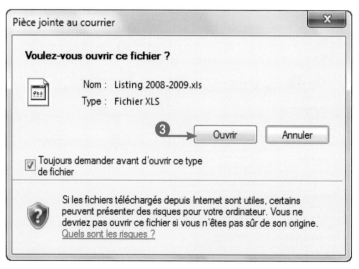

Windows Live Mail demande confirmation.

③ Cliquez **Ouvrir**.

Le fichier s'ouvre dans le programme approprié.

Note. *Si un message s'affiche indiquant qu'aucun programme n'est associé à ce type de fichier, vous devez installer le logiciel requis. Renseignez-vous auprès de l'expéditeur du fichier en cas de doute.*

289

ENREGISTREZ UNE PIÈCE JOINTE

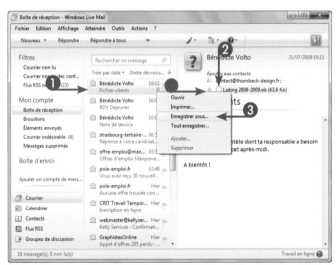

① Cliquez le message contenant la pièce jointe, signalée par l'icône 📎.

● La liste des fichiers joints au message apparaît.

② Cliquez du bouton droit la pièce jointe à enregistrer.

③ Cliquez **Enregistrer sous**.

Si Windows Live Mail considère qu'une pièce jointe présente une menace, en contenant par exemple un virus ou un programme malveillant, et que vous cliquiez le fichier du bouton droit, ni la pièce jointe, ni la commande Enregistrer les pièces jointes ne sont accessibles.

Pour vous en assurer, double-cliquez le message pour l'ouvrir. Sous la barre d'outils, un message vous indique que Windows Live Mail a supprimé l'accès aux pièces jointes. Si vous êtes certain que le fichier est sans danger, désactivez cette fonctionnalité en cliquant Menus (🖹), puis Options de sécurité. Sélectionnez l'onglet Sécurité, puis décochez Ne pas autoriser l'ouverture ou l'enregistrement des pièces jointes susceptibles de contenir un virus. Veillez à réactiver ensuite l'option de protection.

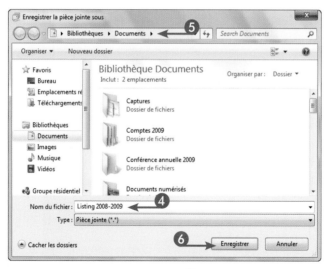

La boîte de dialogue Enregistrer la pièce jointe sous s'affiche.

④ Modifiez si nécessaire le nom du fichier.

⑤ Sélectionnez le dossier où enregistrer le fichier.

⑥ Cliquez **Enregistrer**.

DÉTECTEZ LES PROBLÈMES DE SÉCURITÉ AVEC LE CENTRE DE MAINTENANCE

DÉTECTEZ LES PROBLÈMES DE SÉCURITÉ

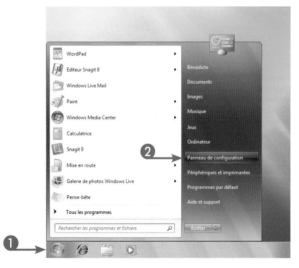

① Cliquez **Démarrer**.

② Cliquez **Panneau de configuration**.

L e Centre de maintenance de Windows 7 affiche
des messages sur l'état de votre ordinateur. Il vous
informe plus particulièrement en cas de problèmes de
sécurité.

Le Centre de maintenance vous indique par exemple que
votre ordinateur n'est pas protégé contre les virus ou que
la base de données de Windows Defender n'est pas mise à
jour.

Le Panneau de configuration
s'affiche.

③ Cliquez **Consulter l'état de
votre ordinateur**.

DÉTECTEZ LES PROBLÈMES DE SÉCURITÉ (SUITE)

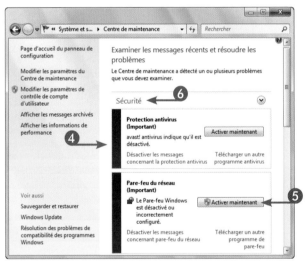

La fenêtre du Centre de maintenance apparaît.

④ Consultez les messages de la section Sécurité.

⑤ Cliquez le bouton d'un message pour résoudre le problème de sécurité, comme **Activer maintenant** si le Pare-feu Windows n'est pas configuré.

⑥ Cliquez **Sécurité**.

Pour consulter rapidement les messages du Centre de maintenance, cliquez l'icône Centre de maintenance (🏳) dans la zone de notification de la barre des tâches. Pour l'ouvrir, cliquez Ouvrir Centre de maintenance.

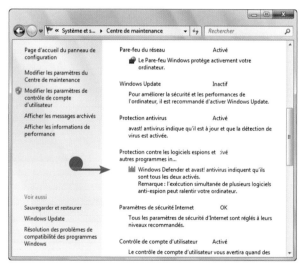

7 Parcourez les éléments de la section Sécurité.

● Le Centre de maintenance présente une vue d'ensemble de tous les paramètres de sécurité de votre système.

Veuillez saisir votre mot de passe :

PROTÉGEZ UN COMPTE D'UTILISATEUR PAR UN MOT DE PASSE

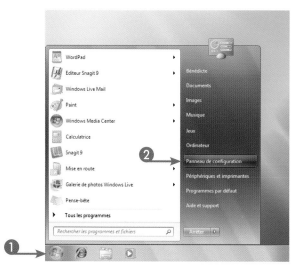

❶ Cliquez **Démarrer**.

❷ Cliquez **Panneau de configuration**.

Il peut être judicieux de protéger votre compte d'utilisateur par un mot de passe afin qu'un autre utilisateur ne puisse pas s'y connecter librement à partir de l'écran de bienvenue.

Créez un mot de passe fort pour assurer un niveau de sécurité maximal.

Le Panneau de configuration s'affiche.

③ Cliquez **Ajouter ou supprimer des comptes d'utilisateurs**.

PROTÉGEZ UN COMPTE D'UTILISATEUR PAR UN MOT DE PASSE

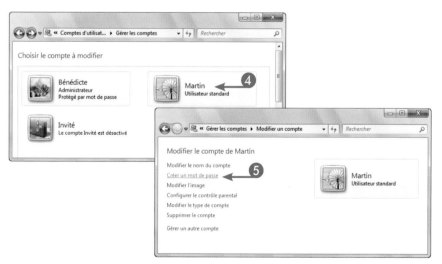

La fenêtre Gérer les comptes s'ouvre.

④ Cliquez le compte d'utilisateur à modifier.

La fenêtre Modifier un compte s'ouvre.

⑤ Cliquez **Créer un mot de passe**.

Pour créer un mot de passe fort, évitez les mots trop évidents, tels que « motdepasse » ou votre nom. Il doit comporter au moins huit caractères, avec au minimum un caractère de chaque groupe suivant : lettres minuscules, lettres majuscules et chiffres. Les mots de passe les plus sécurisés incluent également un symbole comme % ou &.

Pour modifier votre mot de passe, suivez les étapes **1** à **4** de cette section. Dans la fenêtre Modifier un compte, cliquez le lien Modifier le mot de passe. Dans la fenêtre Modifier le mot de passe, tapez le mot de passe actuel, suivez les étapes **6** à **8** pour spécifier le nouveau mot de passe et son indice, puis cliquez Modifier le mot de passe.

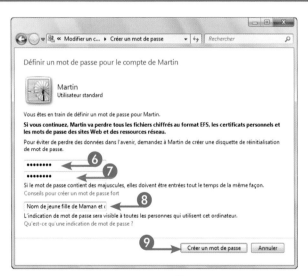

La fenêtre Créer un mot de passe apparaît.

6 Tapez le mot de passe.

7 Tapez à nouveau le mot de passe.

8 Tapez un mot ou une phrase à utiliser comme indication de mot de passe en cas d'oubli.

9 Cliquez **Créer un mot de passe**.

Le compte d'utilisateur est protégé par le mot de passe.

SUPPRIMEZ VOTRE HISTORIQUE DE NAVIGATION

SUPPRIMEZ VOTRE HISTORIQUE DE NAVIGATION

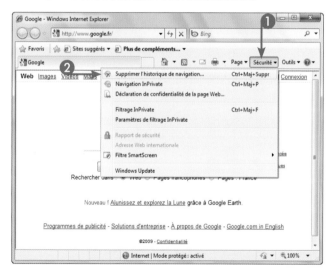

① Dans Internet Explorer, cliquez **Sécurité**.

② Cliquez **Supprimer l'historique de navigation**.

Note. *Vous pouvez aussi appuyer sur* Ctrl + Maj + Suppr.

En supprimant votre historique de navigation, vous vous assurez que les autres personnes qui accèdent à votre ordinateur ne retrouvent pas les sites que vous avez visités.

La boîte de dialogue Supprimer l'historique de navigation s'affiche.

③ Pour que l'historique de navigation reste associé aux sites de votre liste Favoris, cochez **Conserver les données des sites Web favoris** (☐ devient ☑).

④ Pour supprimer les fichiers de pages Web enregistrés, cochez **Fichiers Internet temporaires** (☐ devient ☑).

SUPPRIMEZ VOTRE HISTORIQUE DE NAVIGATION

● SUPPRIMEZ VOTRE HISTORIQUE DE NAVIGATION (SUITE)

❺ Pour supprimer les fichiers cookies, cochez **Cookies** (☐ devient ☑).

❻ Pour supprimer la liste des sites Web visités, cochez **Historique** (☐ devient ☑).

❼ Pour supprimer les données de formulaires, cochez **Données de formulaires** (☐ devient ☑).

Internet Explorer conserve la liste des sites que vous visitez, ainsi que des copies du contenu des pages de manière à charger plus rapidement les sites lors des prochaines visites. Il enregistre également le texte et les mots de passe que vous avez tapés dans les formulaires, ainsi que des cookies, des petits fichiers texte qui stockent des données, telles que les informations de connexion aux sites.

Cet historique facilite la navigation, mais constitue également un risque, car toute personne accédant à votre ordinateur peut librement visiter vos sites ou en afficher les informations relatives. Le problème se pose si vous visitez des sites financiers ou professionnels par exemple. En supprimant tout ou partie de votre historique, vous réduisez ce risque.

⑧ Pour supprimer les mots de passe, cochez **Mots de passe** (☐ devient ☑).

⑨ Cliquez **Supprimer**.

Internet Explorer supprime les éléments de l'historique sélectionnés.

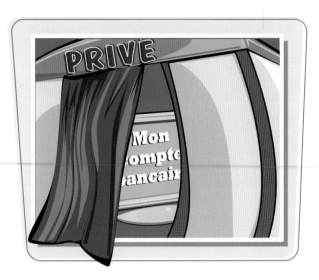

NAVIGUEZ EN MODE CONFIDENTIEL

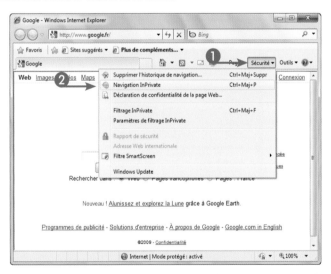

① Dans Internet Explorer, cliquez **Sécurité**.

② Cliquez **Navigation InPrivate**.

Note. *Vous pouvez aussi appuyer sur* Ctrl + Maj + P.

Si vous visitez des sites Web au contenu confidentiel ou sensible, vous pouvez activer la fonction Navigation InPrivate de manière à ne pas enregistrer ces sites dans l'historique de navigation.

Internet Explorer désactive également les barres d'outils et autres extensions tierces ajoutées au navigateur.

Une nouvelle fenêtre d'Internet Explorer s'ouvre.

● La mention [InPrivate] apparaît dans la barre de titre.

● La barre d'adresse comporte également la mention InPrivate.

NAVIGUEZ EN MODE CONFIDENTIEL

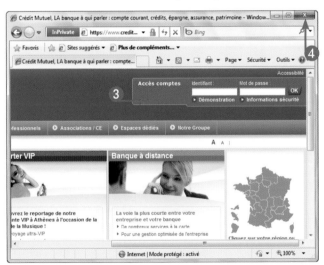

❸ Naviguez sur le Web selon vos habitudes, en consultant par exemple votre compte bancaire.

❹ Cliquez **Fermer** (☒).

ertains sites Web présentent du contenu d'un autre site, tel que des cartes ou des publicités. Si une société particulière fournit des données à de nombreux sites différents, il est possible qu'elle établisse un profil de vos habitudes sur le Web. Le filtrage InPrivate contrôle les fournisseurs qui communiquent des données aux sites que vous visitez ; il bloque ensuite leur contenu afin qu'ils ne puissent établir le profil de votre activité. Pour l'activer, cliquez Sécurité ➜ Filtrage InPrivate (ou appuyez sur Ctrl + Maj + F).

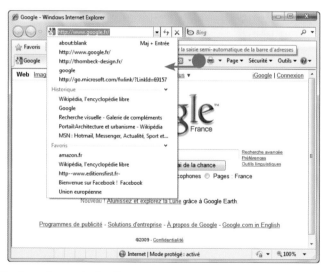

Internet Explorer ferme la fenêtre InPrivate.

● Internet Explorer ne conserve aucun historique de votre session de navigation InPrivate. En effet, aucune des adresses saisies ne figure dans la liste Adresse.

LUTTEZ CONTRE LE COURRIER INDÉSIRABLE

DÉFINISSEZ LE NIVEAU
DE PROTECTION

① Cliquez **Menus** ().

② Cliquez **Options de sécurité**.

En définissant correctement le niveau de protection de Windows Live Mail, vous luttez plus facilement contre le courrier indésirable, ou *spam*. Définissez un niveau élevé si vous recevez quotidiennement de nombreux messages de ce type ou faible si vous êtes peu concerné.

Plus le niveau de protection est élevé, plus Windows Live Mail va rechercher le courrier indésirable. Tous les messages suspects sont déplacés vers le dossier Courrier indésirable. Si un message légitime s'y retrouve par accident, marquez-le comme tel pour le récupérer.

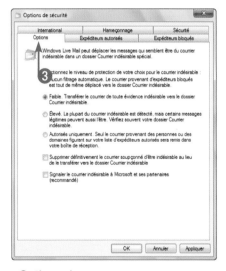

La boîte de dialogue Options de sécurité s'affiche.

③ Cliquez l'onglet **Options**.

Un *faux positif* est un message légitime marqué par erreur par Windows Live Mail comme courrier indésirable et déplacé vers le dossier Courrier indésirable. Si vous sélectionnez le niveau de protection Élevé, vous courez plus de risques d'avoir affaire à des faux positifs et de devoir plus souvent vérifier le contenu de ce dossier pour y chercher des messages légitimes.

● LUTTEZ CONTRE LE COURRIER INDÉSIRABLE (SUITE)

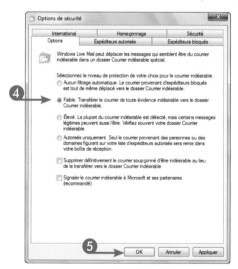

④ Cliquez le niveau de protection à définir (◉ devient ◉).

Cliquez **Aucun filtrage automatique** si vous recevez très peu de messages indésirables.

Cliquez **Faible** si vous recevez une quantité moyenne de courrier indésirable.

Cliquez **Élevé** si vous recevez de nombreux messages indésirables chaque jour.

⑤ Cliquez **OK**.

Windows Live Mail applique le nouveau niveau de protection.

Avec le niveau Autorisés uniquement, Windows Live Mail traite tous les messages comme du courrier indésirable, sauf si l'adresse de l'expéditeur figure dans votre liste d'expéditeurs autorisés. Pour la remplir, suivez les étapes 1 et 2 de cette section, cliquez l'onglet Expéditeurs autorisés ➜ Ajouter, tapez l'adresse, cliquez OK et répétez l'opération si nécessaire. Sinon, cliquez un message légitime du bouton droit, cliquez Courrier indésirable, puis Ajouter l'expéditeur à la liste des expéditeurs autorisés.

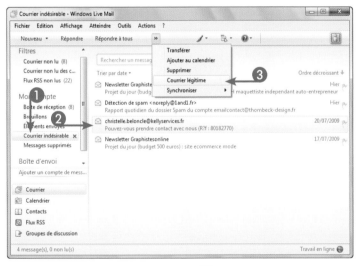

MARQUEZ UN MESSAGE
COMME LÉGITIME

1 Cliquez le dossier **Courrier indésirable**.

2 Cliquez le message.

3 Cliquez **Courrier légitime**.

Windows Live renvoie le message vers le dossier Boîte de réception.

BLOQUEZ UN EXPÉDITEUR INDÉSIRABLE

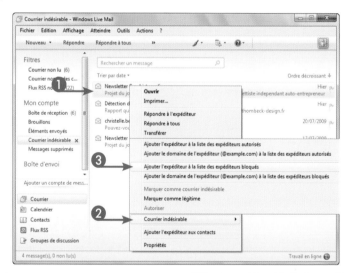

AVEC L'UN DE SES MESSAGES

❶ Cliquez le message indésirable du bouton droit.

❷ Pointez **Courrier indésirable**.

❸ Cliquez **Ajouter l'expéditeur à la liste des expéditeurs bloqués**.

Windows Live Mail ajoute l'adresse de l'expéditeur à la liste des expéditeurs bloqués.

Vous pouvez réduire le nombre de messages indésirables que vous recevez en bloquant les personnes qui vous les envoient. Windows Live Mail déplace alors automatiquement les messages reçus de ces personnes dans le dossier Courrier indésirable.

Pour bloquer un expéditeur, vous pouvez soit utiliser l'un de ses messages, soit ajouter directement son adresse.

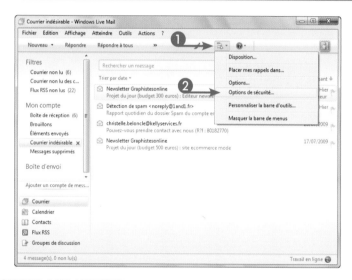

EN AJOUTANT SON ADRESSE

① Cliquez **Menus** (🖺).

② Cliquez **Options de sécurité**.

BLOQUEZ UN EXPÉDITEUR INDÉSIRABLE (SUITE)

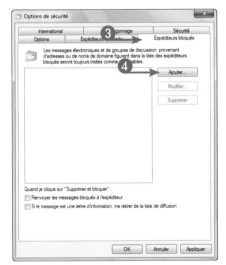

La boîte de dialogue Options de sécurité s'affiche.

③ Cliquez l'onglet **Expéditeurs bloqués**.

④ Cliquez **Ajouter**.

Si vous avez ajouté par erreur un expéditeur à la liste des expéditeurs bloqués, suivez les étapes 1 à 3 de cette section pour afficher l'onglet Expéditeurs bloqués, cliquez l'adresse de l'expéditeur, Supprimer, puis OK.

Si vous recevez de nombreux messages indésirables en provenance d'un pays en particulier, vous pouvez les bloquer. Les messages envoyés avec une adresse étrangère contiennent habituellement un code de domaine de premier niveau, comme .ru pour la Russie ou .cn pour la Chine. Pour bloquer un pays, suivez les étapes 1 et 2, cliquez l'onglet International, Liste des domaines de premier niveau bloqués cochez le pays, puis cliquez OK.

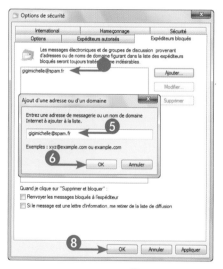

La boîte de dialogue Ajout d'une adresse ou d'un domaine s'ouvre.

5 Tapez l'adresse de l'expéditeur.

6 Cliquez **OK**.

⬤ Windows Live Mail ajoute l'adresse à la liste des expéditeurs bloqués.

7 Suivez les étapes **4** à **6** pour ajouter d'autres adresses.

8 Cliquez **OK**.

VÉRIFIEZ L'ESPACE DISPONIBLE SUR LE DISQUE DUR

VÉRIFIEZ L'ESPACE DISPONIBLE SUR LE DISQUE DUR

① Cliquez **Démarrer**.

② Cliquez **Ordinateur**.

Note. *Vous pouvez aussi vérifier l'espace disponible sur des CD, DVD, carte mémoire ou lecteur flash. Avant de continuer, insérez le support.*

Quand l'espace vient à manquer sur le disque dur, vous ne pouvez plus installer de programmes supplémentaires ni enregistrer de nouveaux documents. Pour éviter d'en arriver là, contrôlez l'espace encore disponible environ une fois par mois.

Prêtez une attention particulière au disque dur sur lequel Windows 7 est installé, généralement le disque local (C:). S'il est rempli à 80 % ou plus, Windows 7 fonctionne au ralenti.

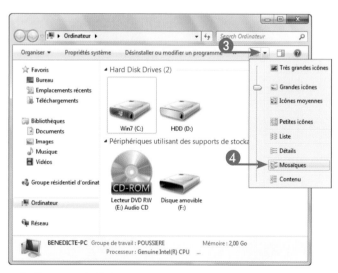

La fenêtre Ordinateur s'affiche.

③ Cliquez la flèche ⬇ du bouton **Changer l'affichage**.

④ Cliquez **Mosaïques**.

Dans le cadre d'une utilisation courante de l'ordinateur, il est raisonnable de vérifier une fois par mois l'espace disponible d'un disque dur. Si vous installez des programmes, créez des fichiers volumineux ou téléchargez fréquemment des fichiers multimédias, vérifiez votre disque dur plus régulièrement.

VÉRIFIEZ L'ESPACE DISPONIBLE SUR LE DISQUE DUR (SUITE)

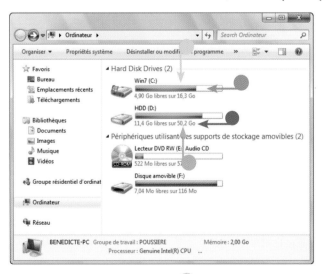

● Les informations concernant tous les disques durs de l'ordinateur s'affichent.

● Cette valeur indique la quantité d'espace disponible sur le disque.

● Cette valeur indique la capacité totale du disque.

● Cette barre permet de juger d'un coup d'œil la quantité d'espace utilisée sur le disque.

Si votre disque dur est trop rempli, vous avez trois possibilités. Tout d'abord, supprimez des documents. Si votre disque contient des fichiers inutiles (images, vidéos ou musiques), supprimez-les. Ensuite, vous pouvez désinstaller les programmes que vous n'utilisez plus. Enfin, supprimez les fichiers dont Windows 7 ne se sert plus à l'aide du programme Nettoyage de disque. Reportez-vous à cet effet à la section suivante.

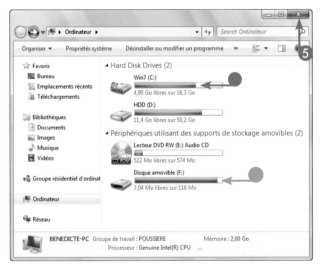

● La portion utilisée apparaît en bleu si l'espace disponible est suffisant.

● La portion utilisée devient rouge si l'espace disponible n'est plus suffisant.

⑤ Cliquez le bouton **Fermer** (☒) pour fermer la fenêtre Ordinateur.

SUPPRIMEZ LES FICHIERS INUTILES

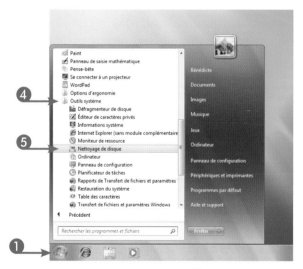

① Cliquez **Démarrer**.

② Cliquez **Tous les programmes**.

Note. *Le nom du bouton devient* ***Précédent****.*

③ Cliquez **Accessoires**.

④ Cliquez **Outils système**.

⑤ Cliquez **Nettoyage de disque**.

Afin d'assurer le fonctionnement optimal de Windows 7, faites appel à l'outil Nettoyage de disque pour vous débarrasser des fichiers dont le système n'a plus besoin.

Exécutez l'outil Nettoyage de disque dès que l'espace sur le disque dur devient insuffisant. Vous pouvez nettoyer le disque dur tous les deux ou trois mois si vous ne manquez pas particulièrement d'espace.

Si votre ordinateur possède plusieurs disques durs, la boîte de dialogue Sélection du lecteur apparaît.

⑥ Cliquez la flèche **Lecteurs**, puis sélectionnez le disque à nettoyer.

⑦ Cliquez **OK**.

L'outil Nettoyage de disque peut nettoyer différents types de fichiers :

Fichiers programmes téléchargés : petits programmes copiés sur votre disque dur lors de la consultation de certaines pages Web.

Fichiers Internet temporaires : copies des pages Web stockées sur votre disque dur pour en accélérer l'affichage ultérieur.

SUPPRIMEZ LES FICHIERS INUTILES (SUITE)

La boîte de dialogue Nettoyage de disque s'affiche.

● Cette zone présente la quantité totale d'espace que vous pouvez libérer.

● L'espace que vous pouvez gagner en supprimant les éléments sélectionnés apparaît ici.

⑧ Cochez la case (☐ devient ☑) de chaque type de fichiers à supprimer.

● La description du type de fichiers sélectionné s'affiche ici.

⑨ Cliquez **OK**.

Fichiers hors connexion : fichiers réseau copiés sur votre ordinateur afin d'y accéder même lorsque vous n'êtes pas connecté au réseau.

Corbeille : fichiers supprimés et stockés temporairement dans la Corbeille.

Fichiers temporaires : fichiers utilisés par les programmes pour stocker temporairement des données.

Miniatures : versions miniatures des images, des vidéos et des documents qui s'affichent dans vos dossiers.

L'outil Nettoyage de disque demande confirmation.

10 Cliquez **Supprimer les fichiers**.

INDEX

Livres également parus aux Éditions First :

Apprendre Windows 7
ISBN : 9782754015233
22,90 € TTC

Micro Hebdo
Prise en main Windows 7
ISBN : 9782754014588
9,90 € TTC

Poche Visuel Internet
4e édition
ISBN : 9782754012348
14,90 € TTC